네가 알고 있는

그곳에 가는 대신

너는 쿠바에 갔다

글·사진 박세열

숨쉬는 책공장

El Violinista

Contents

외계, 쿠바로 떠나며

prologue

너는 쿠바에 갔다.

생각의 관절이 삐걱거리고 상상의 근육이 마비될 즈음.
너는 눈앞의 서류들을 내던지고 건조한 말 틈에서 빠져
나온다. 네가 바라는 대로 세상이 돌아가면 좋겠지만,
시스템은 그렇지 않다. 너는 딱히 나쁜 사람은 아닌 것
같지만, 딱히 좋은 사람도 아닌 것 같다. 너는 동료들과
친구들 사이에서 나름 유쾌한 일상을 보낸다. 시스템
속에서도 맡은 일에 능숙한 편이다. 물론 너의 상사는
생각이 조금 다를 수 있다.

작은 호기심은 네 안에 여전히 가득하나, 그보다 조금
더 큰 두려움이 상존한다. 관찰력은 생겼으나, 인내심은
없고, 완벽한 것 같지만, 날마다 조금씩 생을 실수하는 너.
불안은 그런 때 엄습한다.

아, 너의 생엔 단 한 번의 혁명도 없었구나.

너는 쿠바에 가기로 한다.
그리고 서울에서의 삶을 벗고 사회주의 속 자본주의적
익명이 되고자 한다. 날기 위해선 생각의 무게를 줄여야
한다. 너는 그들에게 동화되기도 하지만, 아주 가끔
그럴 뿐이다. 대부분 너는 그들의 제스처나 옷차림을
온전히 이해하지 못한다. 말하자면 그곳에서 너는
다른 음계의 존재다. 조율되지 않은 채 서걱거린다.
쿠바인들은 네가 내는 불협화음을 듣는다.
그들은 이곳에서 완벽하게 조율된 악기들이기 때문이다.

가끔은 피사체가 되고자 한다.
그들은 너의 지갑을 바라보고, 네가 살고 있는 서울의
빌딩 숲을 상상할 것이다. 너는 쿠바인의 관음증을
자극할 것이고, 그들은 네가 서울에 돌아가 네 친구들에게
어떤 얘기를 들려줄지 궁금해할 것이다.
네가 쿠바에 처음 간 것은 2008년이었다. 7년 반 만에
두 번째 여행이다. 너는 낯선 관찰자가 될 테고,
가끔 낯선 피사체가 될 것이다.

흔한 실수 중 하나는 외계外界가 존재하지 않는다고 믿는 것이다. 지금, 여기의 세상이 단일한 체계로 이뤄져 있으며, 그 체계는 단단하다는 착각. 인류 역사의 정점에 우리가 서 있으며, 어떤 것도 네가 알고 있는 이야기의 결말을 훼손할 수 없다는 생각. 우리는 여행자에 불과하다는 착각. 풍경이 존재한다는 환상. 이런 것들은 우리 고통을 멎게 해 준다. 혹시 있을지 모를 외계를 상상하느라 고통받지 말라는 것이다.
선택하라. '지금 여기'의 모르핀을 받아들일 것인가?

서울, 도쿄, 뉴욕, 런던, 파리.
네가 알고 있는 그곳에 가는 대신 아바나로 향한다.
마트에 식재료가 넘쳐 나고, 밤거리의 불빛에 잠 못 이루는 서울을 떠난다. 먹고, 마시고, 자고, 싸고, 몸을 덥히는 데 인생의 대부분을 소비하는 이곳과는 조금 다른 곳에 잇닿으리라는 환상을 안고 간다.

이 책의 글들은 대부분 아바나에서 쓴 것이다.

EL
3
MEN
2

Ford
P141991

시작

너는 쿠바에 잠입한다.

2개의 공항을 거쳐 스물네 시간을 날았다. 비행기 안에서 30일짜리 쿠바 관광 비자에 이름을 적어 넣고 사인을 했다. 비행기는 토론토를 떠나 플로리다의 불빛을 뒤로하고 아바나Habana의 야경 속으로 고도를 낮추고 있다. 과거에는 산과 바다가 여행의 장애물이었다면, 지금은 복잡한 입출국 시스템과 약간의 인권 유린을 견뎌 내야만 하는 고행이 그것을 대체한다. 근대가 우리에게 준 선물이다. 낯선 곳에서 너의 모든 것은 의심받는다.

그러나 여권은 너의 존재를 증명해 주고, 너의 쿠바 입국 사실은 전자신호로 저장돼 필요한 곳에 전달될 것이다. 너는 그동안 공손하게 모자를 벗은 후 얼굴을 카메라에 대고 최대한 여유로운 표정을 지어야 한다. 그래야 출입국 관리 직원을 안심시킬 수 있다. 가끔 이런 공항 시스템은 과부하를 일으킨다.

이를테면 이런 일이 발생한다.
여행을 끝내고 쿠바를 떠난 후, 미국에 잠깐 들렀다. 미국에서 다시 캐나다로 출국할 때 벌어진 일이다. 한국과 비자 면제 협정을 맺은 캐나다는 입국 시 비자가 필요 없다. 그런데 미국인 델타 항공 직원이 너를 불러 세우고 캐나다에 왜 가느냐고 묻는다. 너는 당혹스러웠지만 대답을 하지 않을 수 없다. 너는 말한다.

> "한국으로 돌아가기 위해 잠깐 캐나다를 경유하려 합니다."

그런 와중에 직원은 너의 여권을 살피고 있다. 그리고 네게 말한다.

"캐나다 비자가 없군요. 비자가 없으면 캐나다 입국이 안 됩니다."

너는 항공사 직원으로부터 어째서 '왜 비자가 없느냐'는 질문을 받아야 하는지 알 수 없다. 그러나 설명을 해 주기로 한다.

"한국과 캐나다는 비자 면제 프로그램에 합의했습니다. 한국인이 캐나다에 들어갈 때 비자는 필요 없습니다."

그러나 그녀는 그런 사실을 모른다고 했다. 그리고 네가 만약 본인을 설득해 캐나다행 비행기에 오른다고 해도, 비자를 갖고 있지 않은 너는 토론토 공항에서 문제를 일으킬 가능성이 있다고 했다. 그렇기 때문에, 그녀는 자신의 상관이 너의 주장을 사실로 확인해 주기 전까지는 비행기에 절대 탑승할 수 없다고 판결을 내린다.

너는 황당했지만 그녀는 막무가내였다. 너는 다시 묻는다.

"내가 비행기를 탑승하는 것을 막을 권한이
당신에게 없을 텐데요?
캐나다 가는 데 비자는 필요 없다고요."

그러나 직원은 그것과 별개로 네가 문제가 될 경우 본인에게 책임이 돌아올 수 있다고 말했고, 상관이 올 때까지 기다려야 한다고 반복해 말했다. 이것은 시스템의 오류다. 너는 불법 체류자로 의심받으며 서 있어야 했다. 너의 뒤에 있던, 가이아나 여권을 가진 검고

키 작은 남자가 여권을 펼쳐 캐나다 비자가 붙어 있는 페이지를 정확하게 그녀의 눈에 가져다 댄다. 그녀는 만족하며 가이아나 남자를 들여보낸다.

너는 어떻게 됐을까? 상관이 왔고 일은 간단히 풀렸다. 그 직원은 너에게 오해를 해서 미안하다며 유감을 표했다. 이런 일들은 비일비재하다. 특히 미국 여권이나 유럽 여권이 없는 사람에게는 마치 일상과도 같은 일이다. 제삼 세계의 여권을 가지고 여행을 하는 것은 꽤 불편한 일이다. 그녀는 말하자면 시스템의 결함이다. 어떤 권한도 없지만 작은 권위에 대한 욕망은 갖고 있다.

아마도 너는 이렇게 말했어야 했나 보다.

> "네, 저는 비자가 없고 캐나다에는 불법 체류를 하기 위해 갑니다. 아무래도 어렵긴 하겠지만 토론토에 도착하자마자 앞서 캐나다에 불법 체류 중인 친구가 건네준 매뉴얼에 따라 공항을 몰래

빠져나가겠죠. 그러고는 아마도 토론토의 변두리 식당 종업원으로 취직을 할 겁니다. 살다 보면 불법 체류자의 인권을 외치는 시위에도 가끔 나갈 수도 있을 거고요. 식당에서 번 돈을 쪼개 본국에 있는 가족들에게 컬러 티브이라도 사서 보낼 수 있을 겁니다."

혹은 이렇게 말하는 것도 좋았을 뻔 했다.

"네, 제 여권은 위조된 것이고 사실 저는 중국인입니다. 파룬궁 수련자로서 중국 정부의 탄압을 받고 있고, 정당한 정치범으로 취급받기를 원합니다. 저는 캐나다에 망명 신청을 하기 위해 앞서 열여덟 곳의 공항을 거쳤고요, 그중 멕시코에서 한 달, 파나마에서 한 달을 여행객으로 가장한 채 수염을 기르고 살아왔습니다. 당신이 공항 경찰을 불러 저를 체포한다면 저는 중국 정부에 넘겨질 것이고, 그렇게 되면 중국 정부의 탄압을 받게 될 것입니다. 유엔난민조약을 심각하게 위반하는 것이 되겠죠. 어떻게 하시겠습니까?"

그런 말을 했다면 너는 곧바로 미국 정부가 마련한 공항 내 취조실에 갇혔을 것이고, 아마도 그녀는 출입국 관리 시스템과 매뉴얼의 완벽함을 증명했다는 사실을 흐뭇하게 여겼을 것이다. 공항에 취조실 따위가 어디에 있을까 싶지만, 시스템은 눈에 보이지 않는 법이다. 반드시 있다. 네가 가 보지 못했을 뿐. 그리고 경찰은 적어도 일곱 군데 이상 전화를 돌린 끝에 네가 한국인이라는 사실을 알아낼 것이다. 다섯 시간 이상의 시간이 필요할 것이다. 네가 파룬궁 수련자라고 거짓말했다는 사실을 알아낸 후 경찰은 네게 왜 그랬느냐고 추궁할 것이다. 결국 너는 한국 영사와 연락이 닿았을 것이고, 영사는 네가 있는 곳으로 와 너를 빼내 줬을 것이다. 그리고 너는 캐나다 비자 없이 캐나다에 입국할 수 있다는 증명을 받아 낸 후 유유히 공항을 빠져나갔을 것이다. 델타 항공의 그 직원을 비웃으면서.

여행은, 이런 시스템 오류들의 연속이다.

너는 이제 시스템의 바깥에 한 발을 걸치게 될 것이다.

그게 여행이니까.

변화

너는 드디어 쿠바 땅을 밟았다.

아바나 공항에 도착한 너는 입국 수속을 마친 후 짐을 찾아 공항 밖으로 나온다. 더운 공기가 느껴진다.

바람에 흔들리는 야자수가 서걱서걱 소리를 낸다.

너는 비로소 쿠바의 시스템 속으로 들어간다.

쿠바, 지구의 주거침입자. 지구에 생긴 흉터.

유일한 사회주의 국가. 미지의 세계. 지구별의 국경.

혹자에겐 마지막 남은 블루오션이자 엘도라도이며,

또 다른 사람에겐 자본주의 플랜B라든지, 인류의 오래된 미래다.

네가 다시 쿠바 땅을 밟은 것은 7년 반 만이다. 자본주의의 물결이 쓸고 갔다거나, 개혁, 개방의 바람이 불고 있다거나 하는 것은 레토릭일 뿐인 것 같다. 1980년대 말 소련 붕괴와 1990년대 초 동구권 몰락 후 혼돈의 모습을 상상한다면, 그것도 낭패일 것이다. 쿠바는 이미 개방된 나라고, 이미 몰락한 나라다. 7년 반 전에도 그랬고, 지금도 그렇다.

물론 변화는 있다. 정치적 변화다. 2014년 12월 19일 버락 오바마와 라울 카스트로가 국교 정상화를 선언했다. 1959년 피델 카스트로와 체 게바라가 주도한 민중 혁명 이후 위태롭게 유지돼 왔던 오랜 적대적 관계를 청산하겠다는 것이었다. 7년 반 전만 해도 쿠바와 미국 간 관계가 이렇게 빨리 좋아지리라곤 상상할 수 없었다.

징후는 있었다. 2006년, 형 피델 카스트로로부터 실권을 넘겨받은 라울 카스트로의 개혁 정책이 시작됐고, 2008년 부시 정권이 오바마 정권으로 바뀌면서 쿠바에 대한 부분적 제재 완화 조치가 취해졌다. 일종의 신호였다. 이것은 결국 미국과 관계 정상화 선언으로 이어졌다.

최근 쿠바 사회 변화의 가장 큰 요인은 꽉 막힌 쿠바 경제 상황이다. 경제 악화에 따른 대중의 불만을 풀어 주기 위한 쿠바 정부의 어쩔 수 없는 선택들이었다. 그것은 쿠바인들 사이에서 개혁으로 불린다. 개혁은 쿠바 민중이 주도하고 있다. 쿠바식 민주주의다. 쿠바인들은 전국에 퍼져 있는 지역 커뮤니티에서 개혁을 요구하고, 중앙 정부는 그 요구를 받아들인다. 느리지만, 아래로부터의 개혁이라는 점에서 주목할 만하다.

어디에서, 왜, 이런 변화가 추동되고 있는 것일까. 시스템 자체의 변화라 보기는 어렵다. 외래 문물의 급격한 유입, 그리고 새로운 세대의 등장 탓이 큰 것 같다.

체제교체가 아니라 세대교체가 이뤄지고 있다고 할까? 피델과 라울은 나이가 많다. 많은 사람들이 카스트로 형제 이후 체제를 말하고 있는데, 언젠가는 그들의 죽음을 받아들여야 할 것이다. 그리고 쿠바의 얼굴은 바뀔 것이다. 만약, 젊은이들이 쿠바의 권력을 잡게 된다면, 쿠바 사회는 어떻게 변할까? 일단 의문으로 남겨 두자.

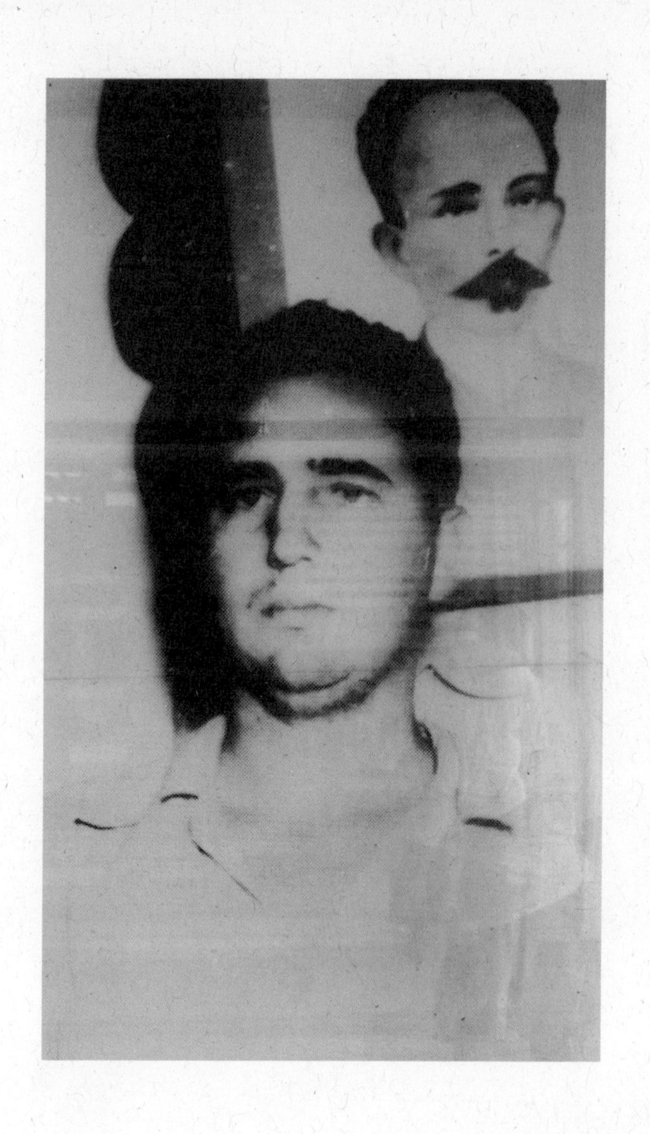

HASTA
LA VICTORIA
SIEMPRE

Fidel:
Me recuerdo en esta hora de muchas cosas de cuando te conocí en
casa de María Antonia, de cuando me propusiste venir, de toda la ten-
sión de los preparativos.
Un día pasaron preguntando a quién se debía avisar en caso de muer
te y la posibilidad real del hecho nos golpeó a todos. Después supimos
que era cierto, que en una revolución se triunfa o se muere (si es verda-
dera). Muchos compañeros quedaron a lo largo del camino hacia la victo-
ria.
Hoy todo tiene un tono menos dramático porque somos más maduros,
que me ataba a la revolución cubana en su territorio y me despido de
ti, de los compañeros, de tu pueblo, que es ya mío.
Hago formal renuncia de mis cargos en la dirección del partido,
de mi puesto de ministro, de mi grado de comandante, de mi condición de
cubano. Nada legal me ata a Cuba, sólo lazos de otra clase que no
se pueden romper como los nombramientos.
Haciendo un recuento de mi vida pasada creo haber trabajado con
suficiente honradez y dedicación para consolidar el triunfo revolucionario
Mi única falta de alguna gravedad es no haber confiado más en ti
desde los primeros momentos de la Sierra Maestra y no haber compren
dido con suficiente celeridad tus cualidades de conductor y de revolucio
nario.
He vivido días magníficos y sentí a tu lado el orgullo de pertenecer
a nuestro pueblo en los días luminosos y tristes de la crisis del Caribe.
Pocas veces brilló más alto un estadista que en esos días, me enorgullez
co también de haberte seguido sin vacilaciones, identificado con tu manera
de pensar y de ver y apreciar los peligros y los principios.
Otras tierras del mundo reclaman el concurso de mis modestos es-
fuerzos. Yo puedo hacer lo que te está negado por tu responsabilidad al
frente de Cuba y llegó la hora de separarnos.
Sépase que lo hago con una mezcla de alegría y dolor; aquí dejo lo
más puro de mis esperanzas de constructor y lo más querido entre mis
seres queridos... y dejo un pueblo que me admitió como un hijo; eso lacera
una parte de mi espíritu. En los nuevos campos de batalla llevaré la fe
que me inculcaste, el espíritu revolucionario de mi pueblo, la sensación
de cumplir con el más sagrado de los deberes: luchar contra el imperia-
lismo dondequiera que esté; esto reconforta y cura con creces cualquier
desgarradura.
Digo una vez más que libero a Cuba de cualquier responsabilidad, salvo la
que emane de su ejemplo. Que si me llega la hora definitiva bajo otros
cielos, mi último pensamiento, será para este pueblo y especialmente para
ti. Que te doy las gracias por tus enseñanzas y tu ejemplo y que trataré de
ser fiel hasta las últimas consecuencias de mis actos. Que he estado iden
tificado siempre con la política exterior de nuestra Revolución y lo sigo
estando. Que en dondequiera que me pare sentiré la responsabilidad de
ser revolucionario cubano y como tal actuaré. Que no dejo a mis hijos y
mi mujer nada material y no me apena; me alegro que así sea.
Que no pido nada para ellos pues el Estado les dará lo suficiente
para vivir y educarse. Tendría muchas cosas que decirte a ti y a nues-
tro pueblo pero siento que son innecesarias, las palabras no pueden expre
sar lo que yo quisiera, y no vale la pena emborronar cuartillas. Hasta la
Victoria Siempre, Patria o Muerte.
Te abraza con todo fervor revolucionario
CHE.

400년이 넘는 스페인 지배. 그리고 19세기 말 두 번의 독립 전쟁. 미국-스페인 전쟁에서 승리한 미국의 쿠바 개입. 미국을 등에 업은 독재자, 올긴 출신의 풀헨시오 바티스타 등장. 그리고 1959년 1월 1일, 혁명군의 아바나 입성. 혁명 전까지 대략적인 쿠바 역사를 정리해 보면 그렇다. 1959년에 벌어진 쿠바 혁명은 베트남 전쟁, 마오이즘과 함께, 1968년 전 세계를 휩쓴 이른바 68혁명의 상징적 모티브가 된다.

1959년부터 '다른 세계' 쿠바의 이야기는 시작된다. 피델 카스트로는 혁명 후 모든 쿠바 내 외국, 특히 미국의 자산을 몰수하고 국유화한다. 손톱 밑 가시가 된 쿠바를 상대로 미국은 금수조치를 단행하고, 쿠바와 거래하는 모든 기업과 국가에 불이익을 주겠다고 선언하게 되는데, 이 효과는 상상을 초월했다. CIA가 주도한 피그만 침공의 위기를 넘기며 위협을 느낀 피델 카스트로는 결국 '진영'을 선택할 수밖에 없었다. 다른 시스템이 그들을 구원할 것이었다. 그는 사회주의를 선언하고 미국과 관계를 단절한다. 이때 손을 내민 것이 소비에트연방, 구소련이었다. 3차 세계대전 발발 직전까지 갔다고 하는, 이른바 쿠바 핵 위기를 거치면서 미국과 쿠바는 화해할 수 없는 길을 걸어간다. 그리고 카리브 해의 작은 나라의 경제는 코앞의 미국이 아닌, 대서양 건너 소련으로부터 원조를 받게 된다. 그러나 아프가니스탄 침공을 기점으로 몰락해 가던 소련은 1989년 결국 붕괴하고 만다.

지각 변동으로 냉전은 끝났다. 그리고 그 쓰나미가 쿠바를 덮쳤다. 그것은 가혹했다. 쿠바의 설탕을 비싼 값으로 사 주고, 화학 비료와 석유를 싼값에 제공해 주던 소련이 붕괴하면서 혼돈의 시기가 찾아왔다. 이른바 '평화 중 특별한 시기Período especial en tiempo de paz'다. 30년간 비교적 안정된 삶을 살던 쿠바인들에게, 소련 붕괴 후 찾아온 1990년대의 특별한 시기는 고통스러웠다. 특히 석유의 부재는 농업을 비롯한 모든 산업을 멈추게 했다. 사탕수수를 비롯한 몇몇 작물만 키워 오던 농지에 갑자기 채소를 심는다고 제대로 자랄 리가 없다. 화학 비료에 의존해 온 터라, 땅은 척박해졌고 지력은 떨어졌다. 굶어 죽는 사람들이 생겨났다.

그런데 이상한 일들이 벌어졌다. 다른 사회주의권 국가들이 소련과 함께 몰락하거나 가혹한 자본주의식 구조조정을 감내할 때, 쿠바는 다른 길을 걸었다. 화학 비료 없는 유기농법을 개발하고, 의약품을 자체 생산했다. 석유 없는 삶을 위해 '가난하게 살기'를 택했다.

결과는 놀라웠다. 쿠바의 죽음을 점쳤던 많은 사람들은 자신들의 예측이 틀렸음을 인정해야 했다.

물론 완벽하진 않다. 식량 자립도는 여전히 매우 낮은 수준이고, 생필품은 태부족이다. 물 1병을 사기 위해 동네를 뒤져야 할 때도 있다. 물의 절대량이 부족하지는 않다. 다만 네가 머물고 있는 동네의 슈퍼마켓에 물이 떨어졌을 뿐이다. 비축량이라는 개념이 없다. 그것은 자본주의적 개념이다. 백화점에 물건이 넘쳐 나는 우리 삶의 모습과 비교하는 것은 무리다. 2000년대 들어 특별한 시기를 벗어났다고 하지만 여전히 문제들은 많다. 가난함을 기꺼이 받아들이지만, 조금 더 나은 삶을 찾고 싶은 욕구는 어쩔 수 없다. 쿠바인들은 이렇게 말한다.

> "우리는 부자가 되고 싶은 게 아냐. 그 많은 돈이 무슨 필요람. 하지만 조금 더 나은 삶을 살고 싶어. 여기 낡은 선풍기가 있잖아. 그런데 좀 더 좋은 선풍기를 가질 수는 없을까?"

변화의 핵심은 자본이다. 가장 관심이 가는 부분이기도 하다. 외국 자본의 진출을 과연 쿠바 정부가 허용할 수 있을까? 외국계 기업은 쿠바 정부와 합작 형태로 쿠바 안에서 사업을 한다. 소유와 경영은 쿠바 정부의 몫이다. 제한적으로 외국계 기업이 쿠바에서 영리 활동을 할 수는 있지만, 그런 기업은 쿠바 사람들에게 많은 이득을 가져다줘야 한다. 이를테면 외국계 기업은 쿠바 현지인을 일정 수 이상 고용해야 한다. 숙련 노동력을 본국에서 데려올 수 없다. 쿠바 정부에 세금도 많이 내야 한다. 쿠바의 '부'는 기본적으로 쿠바인에게 돌아가야 한다는 대원칙은 변함이 없다고 할까. 물론 다른 방식의 물물 교환도 존재한다. 이를테면 쿠바 정부가 노르웨이 기업의 영리 활동을 허가하면, 노르웨이 정부가 쿠바의 빈민가를 보수하기 위한 프로젝트에 펀딩을 대는 식이다. 기본적으로 외국계 기업들의 파트너는 쿠바 정부다. 그래서 이런 '딜'이 가능하다.

쿠바 내 적십자 활동을 돕는 멕시코의 사업가를 만난 적이 있다.

> "적십자가 주체로 있는 쿠바 내 빈민 프로젝트를 돕고 있습니다. 제가 하는 일은 멕시코에서 물건을 들여와 적십자에 제공하는 일입니다. 안전모, 기자재, 각종 장비 등이죠. 이 돈은 노르웨이 정부가 댑니다. 저는 중간에서 사업을 하는 사람이죠. 그런데 NGO 활동임에도 불구하고, 멕시코나 다른 나라로부터 쿠바에서 생산되지 않는 자재를 들여오기가 쉽지 않아요. 벌써 수개월째 허가를 받기 위해 쿠바를 들락거리고 있답니다. 적십자가 하는 일인데도 말이죠."

규제가 꽤 강력하다는 것을 알 수 있다. 이런 규제를 완화할 수 있을까? 부정적이다. 쉽게 이뤄지지는 않을 것이다. 역사적 경험 때문이다. 국민의 재산을 외국에 침탈당했을 때 어떤 일들이 발생할 수 있는지, 쿠바는 이미 뼈저리게 경험해 왔다. 외국인들은 땅과 건물과 자원을 헐값에 빼앗아 갔다. 쿠바인들은 아무것도 가질 수 없었다. 그들의 땅에서 살기 위해 외국 기업에 돈을 지불해야 했다. 석유도, 사탕수수도, 해변도 그들의 것이 아니었다. 쿠바 혁명정부가 가장 공을 들였던 부분은, 외국 자본에 빼앗겼던 '국부'를 되찾아 오는 일이었다. 이런 이유 때문에 많은 전문가들은 쿠바가 외국계 자본 유치에 적극적이지 않을 것이라고 말한다. 우리도 그런 경험이 있다. 우리 땅을, 기차를, 석탄을, 쌀을 강제로 빼앗겼던 시절이 있었다.

그래서 쿠바의 변신은 조금 다르다. 전면적 개방이 아니라 사회 개혁 조치다. 맥도날드도, 스타벅스도 없지만, 쿠바는 변하고 있다. 2006년, 라울 카스트로가 권력을 이양 받은 후 첫 개혁 조치가 나왔다. 내국인의 호텔 출입을 허가하고, 핸드폰을 포함한 가전제품을 구입할 수 있도록 규제를 풀었다. 이 개혁은 아바나 시민들의 생활에 많은 변화를 일으켰다. 그러나 가전제품은 턱없이 비싸다. 낡은 가스레인지 하나가 우리 돈으로 20~30만 원가량 한다.

이런 개혁은 외국에 친척이 없고, 관광 산업에 종사하지 않은 대다수의 국민과는 먼 얘기였다. 2011년 1월, 좀 더 혁신적인 2차 개혁 조치가 취해졌다. 사실상 1959년 혁명 이후 처음으로 '민간 부분'을 풀어 제친 것이다. 공무원 수를 대폭 줄였고, 동시에 헤어드레서부터, 일회용 라이터 수리공까지, 178개의 직업을 민간에 풀었다. 2010년에 25만 명이 민간 영역에 종사하던 게, 2013년에는 40만 명으로 늘어났다. 아바나 시내에는 벌써 50여 곳의 민영 식당이 생겼다고 한다. 물론 식당 주인은 모두 쿠바인이다. 관광 산업은 더욱 활성화됐고, 2012년부터는 쿠바인의 외국 관광도 제한적으로 풀렸다. 그러나 내국인 경제의 이중화가 심해지면서, 여러 부작용도 나타나고 있다. '불법적인 직업'들도 늘었다. 2013년 10월, 3차 개혁 조치가 취해졌다. 자동차 매매를 합법화하고, 부동산 매매도 가능하도록 풀었다. 물론 합법화됐다는 말이 차를 곧바로 살 수 있다는 것을 의미하지는 않는다. 차를 매매하는 데 따른 규제들은 여전히 엄격하다. 또한 차 가격은 우리 돈으로 수억 원에 달할 정도로 매우 비싸게 책정된다. 부동산 역시 마찬가지다.

미국도 2008년 말, 오바마 행정부가 들어서면서 변하기 시작했다. 미국에, 쿠바에 있는 친인척들의 교류와 관련된 제한을 풀었고, 금수조치도 다소 완화했다. 이런 양측의 변화가 맞물려 결국 외교 관계 회복이라는 방향으로 나아가게 된 것이다.

지금 젊은 쿠바인들은 라울의 추가 개혁 조치를 기대하고 있다. 어떤 조치들이 나올지는 아직 모른다. 다른 한편에서는 성난 짐승 같은 자본주의의 고삐를 제대로 잡지 못하면, 쿠바가 가진 이성을 잃을 수 있다는 우려도 상존한다.

라울 카스트로는 스스로 2017년까지 집권하겠다고 했다. 2018년부터 쿠바는 어떤 길을 걷게 될까? 출처가 잘 기억나지 않는 말을 인용해 본다. '쿠바는 늙어 가는 혁명과 고통스러운 출구 사이에 껴 있다'고.

그동안 우리는 쿠바를 모른 체하고 있었다. 쿠바와 같은 세계가 존재하는 것은 금지된 것이기 때문이었다. 우리는 그들의 삶을 함부로 평가했다. 가난하고, 물자가 부족한 것은 끔찍한 일이라고 외면했다. 물 한 통을 사러 세 곳의 가게를 돌아다니는 것을 불편하다고 했다. 우리는 쿠바처럼 되는 공포에 사로잡혀 있었다. 어제 쓰던 샴푸가 오늘 떨어질까 두려워하며 살았다. 돈이 없는 것을 자존심이 없는 것과 동일시했다. 돈이 없어도 당당할 수 있다는 쿠바인들의 생각을 위선이라 폄하했다. 조롱하고 재단했다. 우리는 분명 밖에서 문을 잠근 것 같았다. 쿠바를 가뒀고, 자본주의의 승리를 자축했다. 그들을 국경 밖으로 내몰았다고 생각했다. 그러나 문 밖의 세계에 대해, 우리는 진지하게 생각해 본 적이 있는 걸까? 지구의

che
por siempre

por Siempre Comandante

국경 밖이라고 치부하고 매도하고, 심지어 적대시하지는 않았을까? 혹시 그곳이 문 바깥이 아니라, 문의 안 쪽이었던 것은 아닐까? 우리가 그들을 가둔 것이 아니라, 우리 스스로 갇힌 것은 아닐까?

손톱만 한 해마에도 뿔이 있다. 단단하고 굳센 뿔이.
쿠바인들은 단단하게 삶을 이어간다.
혁명은 낡아졌고, '내 친구 피델'은 쇠약해졌지만,
50년이 넘는 시간 동안 그들을 지탱해 온 믿음은 아직 진행형이다.

여행은 휘어지는 것이다.

너는 살면서 중심을 잃는 것을 항상 두려워했다. 날개를 잃고 바닥에 떨어지는 것을 두려워했다. 그렇게 위태한 직선 위를 더듬더듬 걸어왔다. 한 번쯤은 휘어져 볼 수 있다. 휘어지면 네가 서 있었던 직선을 볼 수 있다.

돌이켜 보면, 너는 어떤 의지에 의해 움직여 왔다. 거대한 시스템의 목적 불명의 의지에 따라서 움직여 왔다. 매뉴얼과 잘 짜인 시간표를 몸과 머리에 새기고 살아왔다.

시간과 시간의 틈새에는 어떤 낭떠러지 같은 게 있는 것 같았다. 시침과 분침은 언제나 네게 긴장감을 주었다. 시간은 흐르지 않고 툭툭 끊어지는 어떤 것이었다. 항상 마감의 끝자락에 서 있는 너는 그래서 언제나 두렵다.

그 옛날, 여행은 주로 개척을 목적으로 했다. 지구상에 아직 미지의 세계가 남아 있었을 때, 그들은 이상향을 찾기 위해, 황금의 도시를 찾기 위해, 왕에게 바칠 새로운 땅을 위해 길을 떠났고, 낯선 곳에서 이름 모를 질병에 시달리며 죽음과 맞서 싸워야 했다. 원주민과 생사를 가르는 전투를 치러야 했고, 그들을 노예로 삼은 후엔 자축하는 의미로 그들의 풍습에 따라 술을 마셨다. 그러나 지금, 여행은 그런 게 아니다. 너는 다른 누군가의 삶의 터전에 발을 담그고 네가 속한 세상을 관조하기 위해 여행을 떠난다.

미지의 공간은 없다. 그리고 길은 어디에나 널려 있다.
친구도 없고, 말도 통하지 않는 곳에서 익명성을 즐기고,
네 삶을 윤택하게 해 줄 작은 영감 한 조각을 떠올려 볼
수도 있다. 좋아하는 책 두어 권을 들고 카페를 전전해도
좋다. 낯선 음계를 떠올리고, 한 번도 보지 못한 색깔을
음미하자. 시간과 공간을 잠시 휘어보자.
길은 생각보다 쉽다. 휘어지는 것을 두려워 말라.
서울의 시간을 버리자.

너는 모든 생활 용품들을 '쿠바산'으로 바꾸려고 한다. 서울에서 들고 온 것은 카메라 한 대, 노트북 한 대, 그리고 바지와 티셔츠 몇 벌이 전부다. 비누, 로션, 샴푸, 칫솔, 담배, 여행용 상비약을 사기 위해 마트에 들른다. 반바지를 입고 슬리퍼를 신고, 카리브의 불볕더위가 한창인 동네를 산책한다. 그리고 쿠바인들과 어울리고, 그들의 음악을 듣고, 그들의 시간 속으로 들어간다. 옷 가게에 가서 그들의 패션을 흉내 내고, 쇼윈도 앞에서 그들의 몸짓을 흉내 내 본다. 부끄러워할 필요는 없다. 건들건들 걷다가 그들과 눈이 마주치면 거만하게 고개를 끄덕여 보자.
아무 곳에나 앉아 시가를 한 대 물고, 누군가 말을 걸면
짧은 스페인어로 대꾸해 주자.

너는 마트에 도착했다. 마트에서는 세제, 샴푸, 햄,
유제품, 고기, 과자 등 일부 공산품과 고기류를 팔고
있었다. 채소는 없다. 채소는 채소 시장(아그로 메르카도,
Agro Mercado)에 가야 있을 것이다. 유제품 가격은 꽤
비쌌다. 버터가 4~5달러, 치즈가 5~7달러 정도고 우유는
팩에 들어 있는 멸균우유밖에 없다. 진열대는 터키산,
이탈리아산, 멕시코산 생활용품들이 차지하고 있다. 너는
그 틈에서 쿠바산 샴푸를 발견했다. 헤초 엔 쿠바Hech en Cuba.
말 그대로 메이드 인 쿠바다. 터키산, 유럽산 등 각종 샴푸
브랜드들 틈바구니에, 가장 싼 가격표를 붙이고 진열돼
있다.

마트에는 물건이 쌓여 있다. 그들은 쌓아 놓되, 진열하진 않는다. 아니, 자본주의식으로 진열하는 법을 모르는 것 같다. 상품 아래에는 태그가 붙어 있고, 상품명과 함께 가격이 쓰여 있다. 심플하다. 요즘 서울의 마트는 상품이 놓일 작은 자리 하나가 마치 작은 점포와도 같은 개념이어서 초미니 부동산을 방불케 한다. 공간을 잘게 쪼개 자리 값을 받는다. 입점하고 싶어 안달 난 상품들이 줄을 지어 대기한다. 기다란 진열대 한편에 가로 세로 20센티미터 정도 되는 공간을 차지하기란 그렇게도 어려운 일이다. 그러나 이곳에서는 100가지 상품이 들어갈 자리에 100개의 같은 상품이 놓여 있다. 똑같은 물건이 진열장에 죽 늘어서 있다. 경쟁 상품도 거의 없다. 마케팅도, '쇼잉'도, 판촉도, 호객도 없다. 마음씨 좋아 보이는 점원도 없고, 고개를 꾸벅이며 손님을 맞는 직원도 없다. 물건을 더 팔거나 덜 팔거나 상관없다. 필요한 물건은 필요한 사람에게 갈 것이다. 모든 마트는 국영이다.

마트 계산대에 앉아 있는 직원은 대부분 긴 손톱을 가진 여성들이다. 손톱은 쿠바 여성들이 멋을 부릴 수 있는 좋은 포인트다. 아름다움에 관심이 많은 쿠바 여성들이 경쟁자들 틈에서 두각을 나타낼 수 있는 방법은 많지 않다. 예쁜 옷은 부족하고, 머리를 다듬는 데에는 한계가 있다. 그러나 손톱을 기르고 꾸미는 것은 비교적 쉽다. 쿠바 미용실에서는 네일아트가 성행한다. 외상도 가능하다. 서울의 마트 관리자라면 그들에게 당장 손톱을 자르라고 명령할 게 분명하다. 타인의 소중한 몸을 변형시키도록 강요하고, 그것을 당연한 것으로 안다. 인간은 시스템에 맞춰 변형돼야만 한다. 인간은 부품이고, 부품은 아름다움을 추구할 필요가 없다. 효율성을 저해하기 때문이다. 부품에 모가 나면 깨서 없애야 한다.

너는 물과 생필품 몇 개를 골라 계산대로 갔다. 그들은 계산대에 앉아(앉을 수가 있다!) 잡담을 나누며(관리자도 같이 농담을 한다!) 사람들이 골라 온 물건의 바코드를 찾기 위해 상품을 이리저리 뒤집는다(누구도 빨리 하라고 소리치지 않는다!). 누구도 숙달돼 있지 않다. 숙달할 필요가 없는 것이다. 그들은 마트가 문을 닫는 휴일이면 편안한 집에서 흔들의자에 앉아 친척들과 함께 맥주잔을 기울이며 잡담을 나눌 것이다. 주말에 돈을 벌겠다고 문을 열고 재래시장을 고사시키는 마트는 이곳에 없다. 그들은 간혹 하릴없이 동네를 산책할 것이다. 그들에겐 은행 빚도 없을 것이고, 아이들 학원비에 쫓길 일도 없을 것이다. 물론 월급보다 비싼 마트의 생필품을 간혹 빼돌리기도 할 것이다.
누군가 그랬다. 1명의 도둑이 100개를 훔쳐 독식하는 사회가 자본주의라면, 100명의 도둑이 1개씩 훔쳐 갖는 사회가 쿠바라고.

상품 몇 개 계산하는 데 시간이 꽤 걸린다. 심지어 계산원들은 손님과 잡담을 나눈다. 뒤에 사람이 뻔히 기다리고 있는데도 아랑곳하지 않는다. 바코드 리더기를 들고 있는 손은 놀고 있다. '고객님'도 없고 '저기요'도 없다. 너는 그녀에게 눈치를 준다. 그녀는 너를 인식한다. 그리고 옆에 있던 생수를 한 모금 마신다. 망설이던 너는 물건을 계산대 위에 올려놓는다. 그녀는 방금 마신 물을 식도로 넘길 시간을 달라는 의미로 미간을 찌푸리며 가슴에 손을 꼬옥 얹는다. 물이 그녀의 위장 벽을 타고 흘러내릴 때까지 너는 기다려야 한다. 그러고 나서야 비로소 너는 물 몇 통과 맥주 몇 캔, 샴푸와 몇 가지 생필품을 살 수 있다. 10초면 충분한 계산이 1분 넘게 걸린다. 점원은 '잘 가'라는 인사를 잊지 않는다. 쿠바의 시간이다. 쿠바의 시간은 어디에서나 느낄 수 있다. 박물관에서도, 미술관에서도, 기념품 가게에서도, 허름한 피자집이나, 담배 가게에서도 그렇다. 너는 기다려야 하고, 기다려야 한다.

앉지도 못한 채 퉁퉁 부운 두 다리로 몸뚱이를 지탱한 후 바코드 리더기를 손에 들고 100개는 족히 돼 보이는 판촉 상품의 할인율을 정확히 외워야 하는 무표정한 점원을 상대할 일이, 이곳에는 없다. 화장실도 못 가고 땀을 삐질 삐질 흘려 대는 점원 앞에서 사소한 실수를 나무라고, 마트 관리자를 호출하고, 소비자의 정당한 권리를 내세우며

고래고래 소리칠 일도 없다. 계산이 늦는다고 짜증을 부리고 욕설을 삼킬 일도 없다. 딱히 필요할 것 같지 않은 물건을 카트에 집어넣고, 판촉에 속아 두 식구가 먹을 2킬로그램짜리 소시지 덩어리를 사들일 필요도 없다. 여기는 국영 마트다. 너는 그녀에게 '나는 손님이니 왕처럼 대해 달라'고 할 수 없다. 이곳은 모든 사람들이 필요한 물건을 사는 곳일 뿐이다. 서울의 시간을 버려야 할 때다.

친구가 생겼다.
이름은 마를리네, 직업은 의사다. 일흔이 된 어머니, 그리고 여덟 살 난 딸과 함께 산다. 그녀의 오빠는 현재 마이애미에 있다. 쿠바에서 여성으로 살아가기란, 한국과 마찬가지로 매우 어려운 일이다. 여성 셋이 모인 집에는 아마도 세 배로 어려운 삶이 얹혀 있으리라.

마를리네를 처음 만난 것은 우연이었다. 아바나에 머물면서 가장 즐겨 찾았던 곳인 베야 아르떼스 뮤지엄, 즉 국립 미술관에서 토마스 산체스Tomás Sánchez 특별전을 감상하던 때다. 미술관 직원은 너를 흘끔흘끔 쳐다보더니, 네가 한국인이라는 것을 알아보고 스페인어로 말을 걸기 시작했다. 요컨대, '당신은 한국인이고, 내 조카는 한국 드라마와 K팝을 매우 좋아한다. 내일이 조카 생일인데, 여기 있는 빈 종이에 한글로 생일을 축하한다는 말을 적어 주면 나는 조카에게 최고의 이모가 될 수 있으리라'는 말이었다. 더듬더듬 스페인어로 소통하고 있는데, 한 여성이 다가왔다.

"내가 통역해 줄 수 있어요."

마를리네의 영어는 유창했다. 미국식 억양이었고, 미국식 관용구를 자연스럽게 사용했다.

빈 종이에 정성 들여 한글을 적어 내려갔다. 한글을 적을 줄 아는 사람을 난생 처음 만나 봤을 그는 상형문자와도 같은 한글을 보며 연신 감탄을 뱉어 냈다. 네가 속한 세계에서 통용되는 글을 읽을 수 있는 쿠바인이 있다는 것은 참으로 신기한 일이다. 한국을 떠나 온 지 오래되진 않았지만, 공기와도 같은 말과 글의 소중함을 깨닫는 데는 며칠의 시간이면 충분하다. 한 세계와 한 세계의 경계라는 것은 숨결이 닿을 만큼 그렇게 가깝게 있지만, 너는 그들의 세계로, 그들은 너의 세계로 건너지 못한다. 피부를 맞대고 서로 눈을 마주 보고 있다고 해도, 보이지 않는 경계는 사라지지 않는다. 세계는 그렇게 떨어져 있다. 그 간극에서 헤매는 것이 여행이다.

너는 이 우연한 기회를 통해 마를리네와 친해질 수 있었다. 의사인 마를리네는 몸이 불편한 어머니를 돌보기 위해 휴가를 낸 상황이었다. 쿠바에서 휴가를 내는 것은 쉬운 일이다. 일주일의 여름휴가를 위해 1년을 쏟아붓는 너는 이해하기 어렵다. 그녀는 집에 보드카가 있으니, 혹시 좋아한다면 놀러 오라고 말했다. 그녀의 주소와 전화번호를 받아 적었다. 낯선 사람의 집에 찾아간다는 것은 두려운 일이다. 낯선 세계 안에서 또 다른 낯선 세계로 여행을 떠나는 것과 같다. 그녀와 헤어졌다. 별이 쏟아지는 아바나 비에하Habaca Vieja의 한 호텔 노천카페에서 흐르는 땀을 닦고 맥주를 주문해 목을 축인다. 30분도 채 안 지났는데 거짓말처럼 하늘이 어두워지고 있다. 비가 올 것 같다. 아바나에서 이런 날씨는 흔하다. 카피톨리오Capitolio의 거대한 돔 위로 결국 번개가 내리 꽂힌다. 맥주의 마지막 모금을 넘긴다. 마를리네에게 전화를 해 볼까?

의사라니, 그리고 마이애미에 친척이 있다니. 너는 스페인에 친척을 둔 주인이 운영하는 괜찮은 민박집에 머물러 본 적이 있었다. 컬러 티브이와 대형 냉장고, 최신형 오디오와 고급 오븐이 갖춰진 곳이었다. 그래서 그녀 역시 나름 갖춰진 집에서 살 것이라고 상상했다. 전화를 걸었다. 찾아가겠노라고 말하자 약간 놀란 눈치다. 주소와 전화번호를 건네받을 때, 네가 "찾아갈게"라고 즉답을 하지 않아 큰 기대는 않고 있었다는 것이다. 게다가 비가 내렸다. 적어도 오늘 네가 그녀의 집을 방문하기 어려울 것이라고 그녀는 생각했던 것 같다. 그러나 너는 오히려 비가 왔기 때문에 갈까, 말까, 하는 고민을 덜어 낼 수 있었다.

택시를 잡았다. 기사에게 그녀의 주소를 보여 줬다. 택시는 빗속을 뚫고 아바나의 잿빛 낡은 건물들 사이를 누볐다. 그녀는 주소가 가리키는 곳에 희고 큰 집이 있을 것이라고 했다. 아바나의 주소 시스템은 심플하고 훌륭하다. 택시 기사는 베다도Vedado에서 정확히 그녀의 집을 찾아냈다. 미리 문 밖에 나와 있던 그녀는 너를 발견하고 반갑게 인사했다.

그녀는 티벳 혈통의 까만 시추 두 마리와 고양이 한 마리를 키우고 있었다. 그녀의 일흔 살 어머니, 여덟 살 딸 훌리아는 너를 즐겁게 맞이해 줬다. 예상과 달리 누추한 곳이었다. 화장실과 주방의 수도꼭지에서 물은 잘 나오지 않았다. 스프링이 튀어나온 소파에는 지저분한 인형, 고장 난 시계, 아날로그 라디오, 오래된 책, 낡은 모터, 빛바랜 사진들이 아무렇게나 뒤엉켜 있었다. 조명은 어두웠다. 집은 널찍했고, 고풍스러웠으나, 부족한 것이 많아 보였다. 그녀의 오빠가 마이애미에서 보내 준 작은 컬러 티브이는 거실에서 가장 눈에 띄는 곳에 덩그러니 놓여 있었다. 티브이를 빼면 100년 전 풍경을 고스란히 간직한 것처럼 보였다.

거실 벽과 탁자 위에는 가족사진을 담은 액자들이 걸려 있었다. 요즘 한국에서는 보기 드문 풍경이다. 과거 시골집의 대청마루 같은 곳에는 대개 모자이크로 만든 가족사진들이 덕지덕지 붙어 있었다. 사진이 귀한 시절의 일이었다고는 하지만, 흑백사진과 증명사진이 난잡하게 섞여 있는 그 모자이크는, 그 집의 내력과 가족의 삶을 오롯이 품고 있다. 쿠바 사람들의 집에 가면 십중팔구 거실에 걸린 가족사진들을 볼 수 있다. 옛 생각이 난다.

마를리네는 서른두 살이다.

줄곧 아바나에서 살았고, 공부를 잘해 의사가 됐다. 그리고 스스로를 순수 '국내파'라고 했지만, 영어를 어디에서 누구에게 배웠는지 미국식 발음이 유창하다. 그녀의 남편은 아바나에서 살지 않는다. 아니, 사실 그녀는 결혼을 하지 않았다. 많은 쿠바의 젊은 연인들이 그러하듯, 그녀는 동거를 했다. 아바나 대학교를 다니던 시절 1년 반 동안 남자친구와 함께 살았다. 그때 태어난 아이가 딸 훌리아다. 남자친구는 아이가 생기자 그녀를 떠나 버렸다. 많은 쿠바 남자들이 그렇듯.

전 남자친구는 지금 산타클라라Santa Clara 인근 도시에 산다고 한다. 직업은 가지고 있는 것 같다. 남자친구는 아마도 아이를 원하지 않았을 것이다. 스스로 '카톨릭걸'이라고 소개한 그녀는 아마도 피임을 하지 않았을 것이다. 그녀의 딸 훌리아는 지금 그녀에게 가장 소중한 존재다.

> "믿을 수 있어요? 그 자식은 자기 딸인데도 훌리아에게 어떤 애정도 없다고요. 가끔 연락을 하기는 해요. 제게 전화해서 잘 지내느냐, 필요한 것 없느냐 묻고 돈을 보내려 하죠. 그러면 저는 '필요한 것은 없고 훌리아를 위해 돈을 좀 달라'고 해요. 그런데 그 자식은 훌리아를 위해서는 돈을 쓰고 싶지 않다고 해요. 어떻게 그럴 수 있죠?"

너는 고개를 끄덕인다.

"쿠바 남자들은 쿠바 여자들이 조신하고, 가정에 충실하고, 가사를 잘 돌보기를 바란답니다. 놀라셨다고요? 여성들이 개방적이고 활동적으로 보이죠? 그런데 그게 전부예요. 한국이나, 쿠바나, 미국이나 마찬가지 아니던가요. 경제 주도권은 언제나 남자들이 가지고 있죠. 돈을 벌 수 있는 기회도 남자들이 대부분 가져가고, 여성들은 거기에서 항상 소외돼 있어요. 단언컨대 쿠바는 남자들의 나라예요. 그들의 끈끈한 유대는, 좋은 일터에 여성의 진입을 허용하지 않아요. 예를 들어볼까요? 저는 의사예요. 제가 의사라고 말하면 사람들은 '형편이 좀 괜찮겠네?'라고 물어보는데, 천만에요. 한 달 월급이 15세우세죠(약 1만 8000원). 일을 열심히 해도 소용이 없어요. 집은 있지만, 전기세 낼 걱정도 해야 하고, 아이를 먹일 걱정도 해야 해요. 보세요. 집도 제대로 돼 있는 게 없어요. 게다가 난 싱글맘이에요. 일이 끝나면 아이를 돌봐야 하죠. 도대체 제 생활은 어디에 있는 거죠? 돈을 벌기 위해 갖은 노력을 해 보기도 했어요. 그러나 남자들은 경제 영역에 여자를 들이려 하지 않아요. 절대로요."

아바나 비에하에는 많은 경제 인구들이 있다. 아마도 그들 중 상당수가 공식적인 취업률통계에 포함되지 않을 것이다. 일부러 실업자가 돼 지하 경제에 뛰어든다. 지하라고 표현했지만, 그것은 블랙마켓도 아니고, 화이트 마켓도 아니다. 정부에 의해 묵인되는 경제, 이른바 '그레이마켓Grey Market', 회색 시장이다. 존재하되, 존재하지 않는 시장, 혹은 존재해서는 안 되는 시장.

그들은 대부분 관광객을 상대로 하며, 물건을 팔거나 서비스를 제공한다. 두둑한 팁도 챙긴다. 그들은 하루 벌이로 의사 월급의 5배를 수익으로 올린다. 그리고 관광객들처럼 돈을 쓴다. 의사 한 달 월급 정도를 헐어 맥주를 사 먹는데 쏟아붓는다. 지상에는 쿠바의 진짜 경제가 뿌리박고 있고, 공중에는 쿠바의 가짜 경제가 구름처럼 떠 있는데, 놀랍게도 이 구름은 가끔 손으로 직접 만질 수도, 혀로 맛을 볼 수도 있다. 이중 경제의 마법이고, 환상이다. 이상한가?

쿠바의 이중 경제가 이상하게 느껴질 수 있지만, 사실 서울에도 이중 경제는 있다. 누군가는 10만 원짜리 가방을 사지만, 누군가는 1000만 원짜리 가방을 산다. 누군가는 1만 원짜리 식사를 하지만, 누군가는 100만 원짜리 식사를 한다. 공무원 월급의 다섯 배를 하룻밤에 써 버리는 사람들도 있다. 자본주의의 마법이고, 환상이다. 사실은 너도, 그들도 같은 시스템을 공유하고 있는 셈이다. 불편한가?

마를리네는 이런 현실을 아주 잘 알고 있다. 그녀는 이 구름 속에 섞여 들고 싶다. 환상과 같은 경제 속으로 들어가고 싶다. 대단한 부자가 되고 싶진 않더라도, 훌리아를 먹이고 입힐 돈은 필요하다. 그리고 지금, 낡은 모터 위에서 작은 날개를 힘겹게 회전시키고 있는 저 구질구질한 선풍기 대신, 조금 더 큰 날개를 가진 조금 더 모던한 디자인의 선풍기 하나를 가지고 싶을 뿐이다.

그녀의 서른여덟 살 오빠는 마이애미에 살고 있다. 많은 쿠바 가정이 그렇듯. 그런 가정들, 즉 친척이 마이애미에 살고 있는 가정은 대체적으로 생활수준이 높은 편이다. 한데, 그녀의 집은 보아하니 그렇지만은 않은 것 같다. 짐작컨대, 그녀의 오빠는 마이애미에서 돈을 썩 잘 벌지 못하는 것 같다. 그녀는 "마이애미에서 쿠바인이 직업을 찾기란 매우 어렵다"고 했다. 오빠의 직업은 3D 디자이너, 그래픽 디자이너, 뭐라고 부르든 IT 관련 디자이너라고 한다. 아바나 근교 국립정보대학교를 졸업한 엘리트이지만, 디자인을 위한 컴퓨터 언어는 독학으로 배웠다고 한다. 쿠바의 IT 기술은 상당하지만 게임 제작을 위한 기술은 가르치지 않는다. 최근 그녀의 오빠는 모바일 게임 캐릭터 디자인을 하고 있다고 한다. 한국 기업인 삼성과도 같이 일을 한다고 했다. 그리고 그녀는 핸드폰을 꺼내 오빠가 보내 준 게임 캐릭터를 보여 줬다. 문어를 닮은 귀여운 외계인이 작은 어항에서 춤을 추고 있다. 아마도 프리랜서 디자이너인 것 같다. 그래도 집안에는 오빠가 보내 준 돈으로 사들였을 작은 티브이가 있다. 그녀의 오빠는 여성 3대가 모여 살고 있는 이 집안의 기둥이다. 어쩔 수 없다. 어느 세계에서나 남성들의 경제 활동은 더욱 잘 보장되기 마련이니까.

마를리네의 어머니는 올해 일흔 살이다.
헤비 스모커이며, 당뇨를 앓고 있다. 유쾌하고 친절한 분이다. 별로 재미없는 쿠바식 농담을 몇 개 선보여 줬는데, 너를 이해시키기 위해 딸을 통역으로 삼고 과장된 손짓을 아끼지 않는다. 고마운 일이다. 그리고 너를 위해 그녀의 어머니는 스파게티를 저녁 식사로 내 줬다. 치즈 가루를 듬뿍 올려 냈다. 이런 식단은 당뇨에 좋지 않다. 어머니는 스파게티 면을 잘게 썰기 시작했다. 면을 돌돌 말아 먹는 너와 다른 방식이어서 흥미롭게 지켜본다.

스파게티를 먹던 어머니가 별안간 호흡을 멈췄다. 사색이 된 얼굴로 딸에게 신호를 보냈다. 마를리네는 곧바로 주방으로 뛰어가더니 인슐린 주사를 꺼내 들고 왔다. 그녀는 스파게티를 앞에 둔 어머니의 팔에 능숙한 솜씨로 주사 바늘을 꽂았다. 길게 한숨을 내쉰 어머니가 너를 바라보며 말한다.

> "나도 알아요. 당뇨에 스파게티나 담배가 좋지 않다는 것. 다 알죠. 그러나 어쩌겠어요. 평생 이렇게 살았고, 앞으로 살날이 얼마나 남아 있겠나 싶어요. 그냥 즐기는 거죠. 평생 하고 싶은 것을 하고 살 겁니다. 게다가 우리 딸이 절 보살펴 주고 있으니 얼마나 행복해요?"

어머니는 평생 스페인어 교사로 살았다. 소설을 써서 책을 낸 적도 있다고 했다. 1945년생인 그녀는 열네 살 때 혁명을 지켜봤다. 혁명 초창기에 그녀는 교사가 됐고, 아이들을 가르쳤다. 그녀의 남편은 농업 전문

엔지니어였다. 사탕수수 대량 생산 시기에 농법을 개발하고, 발전시키는 역할을 했다고 한다. 그러나 최근의 농업 엔지니어들은 대량 생산이 아니라 유기농법에 관한 연구를 한다고 했다. 그녀는 남편을 사랑했지만, 결국 이혼을 해야 했다. 남편의 알코올중독 때문이었다. 그는 절제력이 없었고, 마초적이었다. 그러나 그녀는 이혼을 후회하지 않는다. 마를리네도 어머니 편이다. 아버지에 대한 애정은 없다고 했다.

> "여자 셋이 사는 게 어때서요? 오히려 남자들이 없으니 눈치 안 보고 편하답니다."

이야기 도중 혁명이라는 주제가 나오자 모녀는 논쟁을 시작했다. 마를리네가 말했다.

> "공산주의? 사회주의? 마르크스?
> 다 거짓말이에요. 아름다운 이야기지만
> 현실적으로 어려운 이야기들이에요. 새로운 걸

찾아야 해요. 그렇다고 우리는 부자가 되기를 바라지 않아요. 자본주의 사회에서 빈부 격차가 큰 문제라는 것도 알고 있어요. 미국과 같은 나라에서 우리와 같은 사람들이 살기 어렵다는 것도 잘 알죠. 오빠가 미국에 있다고 제가 말했죠? 아마 힘들 거예요. 우리의 바람은 미국처럼 되고 싶다는 게 아니에요. 우리는 그저, 삶이 조금 더 나아지게 되길 바랄 뿐이에요. 일종의 '실용주의'랄까."

젊은 세대의 생각은 이렇다. 혁명은 50년 넘게 진행되고 있고, 쿠바 사람들은 그 피로도를 체감하고 있다. 혁명 이후 세대라도 40대, 50대는 비교적 쿠바의 풍요로운 시기를 겪었다. 그러나 마를리네와 같은 30대는 자라면서 풍요로운 시기를 겪은 적이 없다. 1990년대 '특별한 시기(소련의 붕괴와 미국의 금수조치로 심각한 경제 위기가 찾아왔던 시기)' 때 사춘기를, 청소년기를, 대학 시절을 보낸 세대다. 그리고 화려한 할리우드식 문화를 접한 세대다. 우리로 비교하면 일본 문화 개방, 그리고 IMF 구제금융

시대를 겪었던 X세대와 비슷할 수도 있겠다.

그녀의 어머니가 말을 꺼냈다. 비슷한 생각이지만, 결은 조금 달랐다.

"공산주의와 사회주의는 조금 다르단다.
공산주의는 모든 사람들이 똑같이 나누는 것을
말하고, 그런 체제는 부작용을 가져오지. 그러나
사회주의는 사람들의 형편에 맞게 나누는 거야.
더 자유롭고 더 민주적인 체제야. 우리는 좋은
사회주의를 추구해야 해. 혁명은 끝났어.
나는 한평생을 혁명 속에서 살아왔는데,
과거에는 혁명이 추구하는 가치에 동의를 했어.
그런데 지금은 혁명이 수명을 다 한 것 같아.
이제는 조금 더 나은 길을 찾아야 해. 그렇지만
사회주의를 버리면 안 돼."

모녀는 작은 논쟁을 이어 갔다. 잠시 침묵이 흐른 후 마를리네가 너를 보며 말한다.

"오해하시진 마세요. 우리는 부자가 되고 싶지 않아요. 돈을 벌어 우유와 빵을 사면 그만이지, 더 많은 돈이 왜 필요하겠어요? 관광객들은, 돈 많은 관광객을 상대로 하는 식당에 가고, 술집에 가고, 클럽에 가고, 호텔에 가죠. 그들이 보고 듣고 느끼는 것은 '쿠바인은 돈을 밝힌다'는 거예요. 그런 얘기들이 들릴 때마다 안타깝고 화가 나고 그래요. 그런 사람들은 어딜 가나 있죠. 그런 사람들에게 둘러싸여서, '쿠바 사람들은 가난해, 돈을 더 벌고 싶어 해'라고 쿠바를 평가하겠죠. 그러나 진짜 쿠바는 그렇지 않아요. 우리는 가난하지 않아요. 모두가 평화롭게, 조금 더 나은 삶을 살길 원할 뿐이에요."

그녀의 말은 쿠바 사람들의 지금 심리상태를 정확하게 요약하는 것 같았다. 마지막 얘기는 그래도 다소 충격적이었다.

> "저는 이 나라를 떠나는 게 꿈이에요. 마이애미로 갈 거예요. 거기에서 오빠랑 엄마랑 소피아랑 같이 살 거예요. 가족이 함께 살던 시절이 그리워요. 어떻게 가냐고요? 뭐, 멕시코로 미션(임무)을 받아 떠나서 국경을 넘게 되겠죠. 다들 그렇게 하고 있어요. 불법이죠. 그런데 우리가 그 일을 과연 해낼 수 있을까요? 오빠가 사는 미국에 갈 수 있을까요?"

미국

너는 눈을 들어 미국 대사관을 바라본다.

지난 2015년 8월 14일 미국 국기가 치솟았다. 미국 국무부장관은 70년 만에 쿠바를 방문, 1961년 단교 이후 54년 만의 쿠바 대사관 재개설을 알렸다.

얄궂게도 미국 대사관 맞은편에는 반제국주의 광장Plaza Tribuna Anti-Imperialists이 있다. 파트리아 오 무에르테(Patria O Muerte, 조국 아니면 죽음을), 벤세레모스(Venceremos, 우리 승리하리라) 등의 구호가 붉은 글씨로 큼지막하게 적혀 있다. 미국 대사관 건물이 미국 이익대표부 건물일 때, 미국 선전판을 쿠바 인민이 보는 것을 차단하기 위해 세운 깃대 138개가 성냥개비처럼 박혀 있다.

서방 티브이에는 미국 국무장관이 참석한 주쿠바미국 대사관 개소식을 대대적으로 보도했는데, 쿠바에서는 별다른 반응이 없었다고 했다. 생중계는 했으나, 그다지 호들갑을 떨지 않았다고 하는데 아직 쿠바는 경계심을 늦추지 않고 있는 것 같다.

하필 개소식 전날인 8월 13일은 피델 카스트로의 생일이었다. 쿠바는 피델의 생일 주간을 맞아 축제 분위기였다고 하는데, 미국과 국교 정상화보다, 피델의 생일을 열렬히 축하하는 듯한 모양새였다. 세계사적 상징성도 상징성이지만, 그 이면의 모습 같은 것이랄까.

다른 이의 목격담에 의하면 그것은 새로운 종류의 '시위'였다. 미국 국기가 올라가는 와중에, 반제국주의

광장에 우뚝 솟은 138개의 깃대에는 피델의 생일 축하
현수막이 촘촘히 내걸려 요란하게 나부끼고 있었다.
피델의 생일을 축하하세요. 쿠바 인민 여러분.

미국은 쿠바에 선심 쓰듯 개소식을 대대적으로
선전했으나, 쿠바는 오히려 미국에 선심 쓰듯
관계정상화를 했다고 믿고 있는 듯했다. 양측의 감정의
골은 깊다. 미국은 여전히 쿠바 내 미국 자산의 소유권을
주장하고 있고, 쿠바는 54년간의 금수조치로 인한 막대한
경제적 피해 보상을 주장하고 있다. 풀어야 할 것은 많다.
이제 시작일 뿐이다.

너는 미국 대사관을 찬찬히 훑는다. 제복 입은 경찰이 너를
흘긴다. 붉은 해가 뉘엿뉘엿 지는 쓸쓸한 말레콘Malecon
해안가에서 성조기가 바람에 나부끼는 모습을 보는 것은
하나의 초현실적 경험이다.

VENCEREMOS!

envenido
ANCISCO
nero de la Misericordia

"헤이, 치노(동양인을 일컫는 말)! 어디서 왔니?"

아바나에서 특히 관광객이 많은 아바나 비에하 거리나, 아바나 리브레 호텔Habana Libre Hotel을 중심으로 동서로 곧게 뻗어 있는 베다도 지구 23번가의 젊은이들은 관광객을 상대로 하는 일자리를 찾기에 혈안이 돼 있다. '최고급 시가를 싼 가격에 살 생각이 없느냐', '최고의 살사 클럽을 소개해 주겠다', '오늘 밤 부에나비스타소셜클럽이 나오는 바가 있다'면서 너와 같은 외국인들에게 말을 붙인다. 어딜 가나 젊은이들이다. 간혹 넉살 좋은 노인들을 만날 수 있긴 하지만.

모험심 때문인가, 아니면 돈에 대한 욕망 때문인가. 알 수 없는 어떤 화려함에 대한 동경 때문인가. 관광객을 상대하는 젊은이들은 책방 여성 종업원이 받는 한 달 봉급의 두 배 정도를 하루에 벌어들인다. 그 돈으로 여자 친구와 함께 말레콘 인근 고급 카페테리아에서 샌드위치와 맥주를 사 먹겠지.

돈을 벌기 쉬운 이유는 간단하다. 애초에 돈이 없기 때문이다. 또 돈을 버는 데 모두가 달려들지 않기 때문에 돈을 벌기 쉽다. 그렇다고 그들이 모두 부자는 아니다. 남들보다 에어컨을 쉽게 살 수 있고, 남들보다 좋은 버터를 쉽게 살 수 있을 것이다. 남들보다 좋은 우유를 날마다 마실 수 있고, 남들보다 좋은 빵을 날마다 먹을 수 있을 것이다. 쿠바에는 화려한 쇼비즈니스도, 청담동 귀족클럽도 없다. 그냥 단지, 조금 더 잘 먹고, 잘 살고자 하는 욕망들이 있을 뿐이다. 그들은 축적하지 못하고, 또 축적하지 않는다. 축적된 부를 쓰면서 살기에 쿠바는 적당하지 않다. 물론 축적하는 사람들이 생겨나고 있지만, 생산 수단이 국가 소유인 쿠바에서, 축적된 부는 자본이 될 수 없다. 단지 소비만을 위한 축적이다. 그러니 축적이 자본 투자로 이어지지 않는다. 애초에 그런 길은 막혀 있다. 축적된 자본으로 다른 노동력을 사들여 더 큰 부를 쌓을 수 없다. 즉, 다른 인민에 대한 착취로 이어지지 않는다. 쿠바의 빈부 격차가 서울이나 뉴욕의 빈부 격차와 다른 이유다. 착취를 전제하지 않는 부의 탄생은 분명 현대

사회에서 볼 수 없는 현상이다. 쿠바와 같은 작은 규모의 나라에서나 가능한 현상이다. 쿠바에서 불평등은 분명 불법이다. 불법적 불평등은 허용되지 않는다.

그러나 그 불법의 경계를 넘나드는 사람들은 점점 늘고 있다. 이중 경제의 덩치가 커지면서 새로운 현상이 나타나고 있다. 달러와 유로를 쌓아 놓는 쿠바 사람들이 늘고 있다고 한다. 달러와 유로의 가치가 높아지면 그들의 얼굴엔 미소가 번지겠지. 그리고 그들은 힘이 세질 것이고, 불평등의 합법화를 시도할 것이다. 쿠바 최초의 자본가는 쿠바 정부를 향해 '내게 공장을 달라'고 요구하고, '노동자를 고용하게 해 달라'고 요구할 것이다. 외국인 주머니의 달러 대신, 같은 인민의 노동력을 사들이게 될 것이다. 그리고 부를 쌓을 것이다. 그것을 우리는 '경제 규모가 커진다'고 표현한다. 인민은 두툼해진 월급봉투를 받아들고, 야근과 특근에 시달리게 될 것이다. 높은 집세를 내고, 집세를 내기 위해 일하지만, 그것을 행복이라 믿는 데는 많은 시간이 필요하지 않을 것이다. '누구나 부자가 될 수 있다'는 자본주의의 모토는 달콤하기 때문이다.
문제는 네가 부자가 될 가능성이 희박하다는 점이다.

바로 네가 속한 세상이 그렇다. 한 달 100만 원 버는
사람이 10억 자산가에게 집세로 50만 원씩 바치면서 사는
세계다. 하룻밤 술값으로 수백만 원을 쓰고도 월수입
잔고가 수천만 원씩 쌓이는 사람들에게, 너는 한 달 노동의
대가를 허물어 월세 50만 원을 꼬박꼬박 상납한다.
집 있는 사람이 받는 월세, 그것은 세입자의 노동의
대가다. 세입자가 일터에서 땀 흘려 일하면 집 주인은 그
노동의 일부를 앉아서 받아 챙긴다. 엄밀히 따지면 타인의
노동을 착취하는 것이다. 타인의 노동의 대가를 중간에
가로채는 것은 불법이다. 그러나 누구도 그것이 합법임을
의심치 않는다. 그것은 계약이기 때문이다. 이미 당신이
태어나기도 전에 누군가 공간을 모조리 소유해 버렸기
때문이다. 너는 지대를 내고 이자를 내고 그들이 소유한
공간에 잠시 몸을 눕힐 수 있다. 자본주의의 마술이다.

10억 자산가, 100억 자산가는 오늘도 월급쟁이와 자영업자들의 노동 일부를 가로채 간다. 가난한 사람이 일할수록 더 가난해지고, 부자가 일을 안 해도 더 부자가 되는 것은 합법이다. 불평등은 합법이다.

지금 상태로라면, 쿠바에서 자본가가 탄생하기는 힘들 것이다. 현재 이 나라의 유일한 자본가는 국가다. 그러나 국가는 소수 인민에게 자본주의식 풍요를 보장해 주지 않는다. 다만, 다수 인민이 자본주의식 가난에 빠지는 것을 방지해 주고 있을 뿐이다.

쿠바에 대한 관심이 늘고 있다. 특히 쿠바에 빈부 격차가 늘어가고 있다는 기사들을 많이 접하게 된다. 그런 기사에서는 가난하고 지저분한 쿠바 사람들이 부자 나라 여행객들의 주머니를 노리고 있다고 묘사한다. 돈의 힘이 그렇게 세다는 사실에 스스로 감탄한다. 우리의 시스템을 철석같이 믿고 있다. 단 한 순간도 의심하지 않는다. 위대한 소비의 시대를 칭송하며, 우리처럼 살지 않는 그들의 모습에서 우리 식의 부조리를 발견해 냈다고 소리친다. "거 봐, 너희도 별 수 없잖아. 망하지 않으려면 불평등을 합법으로 인정해!"라고 윽박지른다.

LOVE

신문

눈이 먼 노인이 신문을 팔고 있다.

신문은 어디에나 있다. 오비스포Obispo 거리에서도, 카피톨리오 앞에서도, 차이나타운Barrio Chino에도 초라한 옷차림의 늙은 사람들은 언제나 신문을 본다. 주간지도 있고, 일간지도 있다. 청소년을 위한 신문도, 노동자를 위한 신문도 있다. 모두 정부가 발행하는 신문이다. 이를테면 쿠바는 단일한 하나의 거대한 미디어 그룹이다.

신문팔이 노인이 말을 건다.

"당신은 신문을 읽지 않나요?"

신문 한 부를 불쑥 내민다. 10세우페(CUP, 약 400원)를 달라고 한다. 공식 환율로 1세우세CUC는 25세우페CUP다. 세우세는 '쿡'이라고 부르는, 관광객이 사용하는 전환 페소이고, 세우페는 '쿱'이라고 부르는 내국인용 페소다. 그러나 환전소가 아닌 거리에서는 1세우세를 20세우페로 쳐 준다. 1세우세는 1달러라 생각하면 편하다. 지갑을 꺼내고 있는데 어디선가 다른 목소리가 들린다.

"10세우페는 무슨, 신문 한부에 1세우페면 족하지요."

옆에 있던 사람이 너에게 말을 건 것이다. 그러자 신문팔이 노인이 웃으며 네 옆에 있는 사람을 만류한다.

"이봐요 선생님, 이 관광객이 저에게 10세우페를 주려는데 방해하지 말아 주세요."

눈이 먼 사람이 파는 신문을 샀다. 그도 읽을 수 없을 것이고, 너도 읽을 수 없다. 노인은 돈을 눈앞에 가까이 댄 후 웃으며 좋은 여행을 하라고 손을 흔든다. 주식 시세도 없는 신문이다. 부동산 정보도 없고, 대출 금리가 낮아졌다는 소식도 없는 신문이다. 대기업 총수가 저지른 비리 소식도 없고, 신제품이 개발됐다는 소식도 없고, 글로벌 시대에 국경을 넘는 자유로운 저관세 무역으로 미국산 체리 600그램을 1만 원에 사던 사람들이, 드디어 체리를 5000원에 사게 됐다는, 그런 흔하디흔한 내용 하나 없는 신문이다. 걸그룹의 데뷔 소식도 없고, 관음증을 자극하는 뮤직 비즈니스의 뒷이야기도 없는 그런 신문인데, 사람들은 곳곳에서 신문을 움켜쥐고, 노려보며, 시간을 보내고 있다. 가끔은 젊은 신문 배달부를 본다. 이른 아침 바다가 내다보이는 민박집 창가에 앉아 담배에 불을 붙이고, 커피를 한잔 마시고 있으면 자전거를 탄 신문배달부가 앞집 아파트의 3층 베란다에 정확히 신문을 던져 넣는다.

너는 신문을 끼고 쿠바노들이 가는 식당에서 샌드위치(빵과 고기, 그리고 정체를 알 수 없는 소스가 내용물의 전부다)와 소다수(환타 맛)를 사 먹었고(약 10세우페, 400원), 포풀라르 담배를 5갑(하나에 7세우페, 280원)이나 샀다. 책방을 네 군데 들렀다. 놀라운 것은 책값이 엄청나게 싸다는 것. 카툰집 두 권을 샀는데 한 권에 5세우페(약 200원)씩이고, 어린이 동화책을 샀는데, 8세우페(약 320원)다. 만화책 몇 권을 샀는데 역시 대부분 우리 돈으로 250원~500원 사이다. 스페인어로 된 정치 전문 서적도 우리 돈 1000원을 넘지 않는다.

다른 세계는 멀지 않다. 책방 바로 옆 오비스포의 고급 식당가에 가면 책 10권짜리 가격의 음식이 팔린다. 책 100권짜리 가격의 술도 판다. 그리고 손님들은 신문 1000부 가격에 달하는 계산서를 받아 든다. 관광객을 위한 세계다. 물론 내국인도 사 먹을 수 있다. 단, 돈이 있다면.

진열이 잘 돼 있는 국영 책방에는 일하는 사람이 4명쯤 있는 것 같은데, 2명이 한 짝이다. 책을 골라 계산대에 가니 여성 점원이 턱짓을 하며 맞은편에 있는 또 다른 여성 점원을 가리킨다. 맞은편의 점원은 간단한 서식의 종이 카드 책자를 앞에 놓고 앉아 있다. 그에게 다가가 책을 내미니 카드에 뭔가를 적은 후 찢어서 다시 네게 내민다. 카드에는 책 이름, 권 수, 그리고 가격 등이 적혀 있다. 너는 마치 의사에게 알 수 없는 무늬가 적힌 처방전을 받아들 듯, 그 종이를 받아 들었다. 이 카드와 함께 책을 카운터로 들고 가면 그때 비로소 계산이 이뤄진다. 어떤 목적인지는 모르겠지만, 책방 카운터는 두 파트로 이뤄져 있고, 4명이 고용돼 있다. 병원 소독약 같은 책 냄새에 파묻혀 무뚝뚝하게 손님을 상대하고 있다. 월급은 500세우페(약 2만 원) 정도 될까. 이 점원들은 퇴근 후 국영 배급소에 들러 배급표를 보여 주고 달걀과 빵을 받아서 집에 갈 것이다. 배급은 점차 줄고 있지만, 그래도 삶을 유지하는 데 한몫을 한다.

책방에는 체 게바라, 피델 카스트로, 혁명에 관한 책들, 베네수엘라, 사회주의, 제국주의와 관련된 책들이 절반 정도를 차지하는 것 같다. 나머지 절반은 철학과 문학 관련 책들이다. 쿠바에도 젊은 사람들이 책방을 드나드는 경우는 많지 않아 보인다. 그러나 언제나 그들은, 마음만 먹으면 빵 하나 가격으로 책을 사 볼 수 있을 것이다. 정부가 권하는 사상을 내면화하고 체화하는 데 신문과 책처럼 좋은 도구는 없다. 신문과 책은 쿠바의 시스템을 공고하게 하는 수단이므로, 그것은 거의 공짜로 뿌려져야 한다. 이것이 쿠바가 체제를 돈독하게 하는 비결일 수 있겠다.

어떤 나라에서 가장 많이 팔리는 신문은, 보통 다른 세상이 불가능하다는 것을 인지시키고, 다른 삶에 대한 희망을 저지하는 것을 목적으로 한다. 신문은 사실 시스템 유지를 위한 도구다. 성스러운 법질서를 교란시키는 자들을 골라내고, 시쳇말로 조진다. 그리고 너에게 말한다. 우리 시스템은 안전하다고. 시스템을 파괴하려는 자들을 솎아

낼 수 있어 다행이라고. 어떤 나라에서 가장 많이 팔리는 책도 그렇다. 네가 속한 시스템을 의심하지 말라. 의심하기 전에, 그 시스템 안에서 네가 성공할 수 있는 방법을 찾으라. 낯익은 풍경이다.

티브이 채널을 소유한 거대한 신문이 여론을 주도하고, 책방에는 각종 자기계발서가 난무하는 곳, 바로 우리의 세상이다. 이를테면 워렌 버핏이나 루퍼트 머독은 자본주의 세상의 체 게바라다. 그들은 체제의 슈퍼스타이고, 심지어 숭배의 대상이 된다. 체제의 훌륭한 선전판이다. 이것은 막대한 광고 매출을 올리는 거대 신문들과 거대 미디어 그룹이 만든 작품이다. 단도직입적으로 말해 보자. 자유주의 체제의 신문은 누가 발행하는가. 누가 운영하는가. 왜 신문은 수백억 원을 빼돌린 기업가에 대한 집행유예를 과하다 비판하고, 체불 임금 100만 원 때문에 거리로 나선 노동자를 징역에 처하라고 윽박지르나. 당장 금융감독원 전자공시시스템에 접촉하면, 신문사의 주인이 누구인지 쉽게 알아낼 수 있다.

자유주의 체제의 언론은 불공정한 게임을 공정하게 보이도록 하는 데 최고의 자질을 갖고 있다. 시스템은 그런 믿음을 확고히 해 줌으로써 굴러간다. 그럼에도 불구하고 너는 쿠바와 너의 고국이 닮아 있다는 사실을 외면할 것이다. 불순한 생각이니까.

그렇다. 최소한 너에겐 1억 원짜리 명품 시계를 살 수 있는 '자유'가 있고, 40평짜리 잠실 아파트에서 살 수 있는 '자유'가 있지 않은가? 주식으로 대박을 터트릴 '자유', 복권에 당첨될 '자유'도 있지 않은가. 왜 너는 그런 '자유'를 활용하지 않는가? 너는 눈먼 노인이 파는 신문을 읽는 사람들을 본다. 아바나에서, 그리고 서울에서.

인터넷 카드가 보통 1세우세라는데, 너는 지갑에서 3세우세를 꺼내고 있다.

인터넷 카드를 사기 위해 늘어선 줄이 너무 길어 너는 암표 파는 청년을 찾았다. 2세우세의 웃돈을 얹어 주고 카드 한 장을 얻었다. 청년은 만족한 표정을 지었다. 쿠바에 꽤 오래 체류한 사람이 너에게 '팁'을 하나 알려 줬다. 그는 인터넷 카드를 파는 호텔 여러 곳을 들러 한 장씩 사들인다고 했다. 일수를 찍듯이 그렇게 한단다. 현재 100장 가까운 인터넷 카드를 축적한 그는 쿠바에서 인터넷 부자가 됐다. 백 시간 동안 그는 인터넷에 접속할 수 있는 권한을 갖게 됐다.

쿠바에서는 인터넷 관련 인프라가 거의 없다고 볼 수 있다. 인터넷 카드를 사야 인터넷을 할 수 있다. 그렇다고 아무 곳에서나 되는 것도 아니다. 와이파이 전자파가 흐르는 곳을 찾아서, 기기를 실행한 후, 복잡한 비밀번호를 입력한 후에야 카드 한 장당 한 시간 동안 인터넷을 사용할 수 있다. 대부분 외국인 관광객이 머무는 호텔 담장 인근에서 와이파이 전자파가 흐른다고 한다. 사람들은 전자파 사냥에 나선다. 사탕 주위에 꼬이는 개미들처럼 외국인이 드나드는 호텔의 주변을 밤마다 서성이며 쿠바 사람들은 작고 네모난 각자의 기기에 코를 박는다.

너는 쿠바에 도착한 지 하루 만에 이메일을 확인하고 싶어 몸이 근질거렸다. 확인하지 않으면 안 되는 상황들은 대부분 서울에 남겨 뒀다. 생각해 보면 마음만 먹으면 뉴욕에서, 부에노스아이레스에서, 케이프타운에서 네 생계를 유지시켜 주는 일들을 말끔하게 처리할 수도 있는 세상인데, 왜 아바나에서는 할 수 없는지 짜증이 날 법도 하다.

습하지만 그런대로 시원한 바람이 부는 말레콘 해변을 걷던 밤, 나시오날 호텔Nacional Hotel을 끼고, 23번가로 들어갔다. 커다란 호텔, 그리고 커다란 극장이 자리한 인근, 사람들이 저마다 작은 모니터를 하나씩 들고 길가에 앉아 있다. 어두운 밤, 이들의 얼굴은 모니터에서 나온 불빛을 받아 반짝반짝 빛나고 있다. 간혹 노트북을 꺼내 인터넷을 하는 사람들도 있다. 십대 아이들 여러 명이 스마트폰 하나에 달라붙어 낄낄거린다. 너는 그들을 신기한 듯 관찰한다. 호텔 벽에는 사람들이 다닥다닥

붙어 있다. 많은 쿠바 사람들이 이메일로, 페이스북으로, 트위터로 미국의 친척들, 전 세계의 친구들과 소통을 하고 정보를 주고받는다. '자유 세계'에서 벌어지는 일들은 '닫힌 세계' 쿠바인의 오감을 자극하게 될 것이다. 간혹 경찰 제복을 입은 사람들이 눈을 부릅뜨고 그들을 관찰한다. 경찰은 그중 한 사람을 지목해 소리를 지른다. 지목된 남자는 지지 않으려는 듯 경찰에게 거세게 저항한다. 그러자 경찰이 포악해진다. 불법으로 카드를 팔다가 단속에 걸린 것 같았다. 결국 지목된 남자는 경찰의 물리력에 제압된다. 주변 사람들은 그 모습을 보는 듯 마는 듯 작은 모니터에 열중해 있다. 평화로운 아바나의 밤이다.

너는 낮에 산 카드를 꺼내 들었다. 쿠바 동전을 집어 은색으로 덮인 부분을 긁어내고, 긴 인증번호를 스마트폰에 입력한다. 인터넷을 하기로 마음먹은 시간으로부터 5분이 지난 후에 너는 겨우 접속 허가를 받아 낸다. 메일함을 열었다. 30초 정도는 참아야 한다. 인터넷

덕분에 메모하는 습관이 퇴화돼 버렸기 때문이다. 너는 더 이상 메모하지 않는다. 펜을 들고 다니지 않는다. 이메일을 통해서가 아니면 확인할 수 없는 정보를 찾아내기 위해, 너는 20분 정도를 꼼짝 않고 서 있다. 창 하나 여는 데 1초를 넘기면 짜증을 내던 너다.

인터넷은 민주주의의 유용한 도구인가? 쿠바인들은 인터넷을 통해 '자유 세상'을 맛보리라 믿을 것이다. 미국인도 그렇게 생각할 것이고, 너도 마찬가지일 것이다. 너는 쿠바인들이 인터넷을 통해 세상의 정보를 접하게 되면, 폭동이라도 일어나지 않을까 생각한다. 이는 너의 조국이, 자유주의 정부가 장악한 국가들이 너에게 주입시켜 준 어떤 공식과도 같은 것이다. 야만의 쿠바인들은 문명의 혜택을 통해 진정한 자유 인간이 될 수 있다고 너는 믿을 것이다.

이런 상상을 해 본다. 인터넷이 되는 나시오날 호텔 와이파이에 스파이웨어 하나만 투입시키면, 주변 모든 사람들의 기기는 곧바로 누군가의 손바닥 안으로 들어간다. 매우 간단한 일이다. 그런 프로그램을 전문적으로 만드는 회사도 있다. 너는 바이트 단위로 이뤄진 자유의 바다를 헤엄치고 있다고 생각하겠지만, 이미 그 바다에 들어온 이상 너는 바다를 만든 사람으로부터 벗어날 수 없게 된다. 넌 매트릭스에 잡혀 있다. 넌 항시적 인질이다.

인터넷은 1969년 미국 국방부 고등연구계획국ARPA이 만든 군사용 목적의 패킷스위칭네트워크에서 시작했다. 군의 조직을 효율화하고, 발생할 수 있는 오류를 방지하기 위한 목적이었다. 애초에 인터넷의 시작 목표는 '통제'였고, 그것은 대중화되며 '열림'으로 나아갔다. 그러니 다시 '통제'로 회귀하는 것은 너무나 쉽다. 그것은 의지의 문제다. 인터넷을 장악한 누군가의 선한 의지에(선할 것이라고 믿는 의지에), 너는 너의 사생활을 통째로 맡기고 있다. 통제와 자유는 동전의 앞뒷면이다. 누가 인터넷을 자유라 하는가.

땅에 발 딛고 사는 너지만, 바이트 덩어리로 이뤄진
가상의 인터넷 세상은 네게 익숙하다.
온종일 보이지 않는 누군가와 대화를 나누고,
알지 않아도 될 뉴스를 챙겨 본다.

먼 옛날, 1544년에 제바스티안 뮌스터라는 한 인문학자는
스위스 바젤에서 책 《코스모그라피아Cosmographia》를 펴냈다.
평생을 한 동네에 살면서 제대로 된 여행이라곤 단 한 번도
해 본 적 없는 이 학자는, 20년 동안 전 세계를 아우르는
지리학서를 당당하게 써냈다. 아시아와 아프리카,
아메리카, 식인종, 바다 괴물 따위와 관련된 글들이 바젤의
조그만 서재에서 탄생했다. 그는 한 번도 보지 못한, 가
보지 않은 지구 반대편의 이야기까지 아울렀다. 이불
속에서 세상을 보는 방법은 이미 500년 전에 시도됐다.
안방에서 세상을 보고, 논한다. 진실은 중요치 않다.
믿으면 그만이다.

너는 뮌스터라는 사내를 마음껏 비웃지만, 본질은 다를 게 없다.

이미 일어난 일, 앞으로 일어날 일, 지금 일어나고 있는 일, 혹시 일어날까 봐 걱정되는 일, 절대 일어나선 안 될 일, 반드시 일어났어야만 하는데 일어나지 못한 일, 일어나도 좋고 일어나지 않아도 좋은 일까지, 너는 두루두루 살핀다.

가끔 회사를 위해 여러 서류들을 처리하기도 한다. 네가 침대 속에서 움직이지 않고 하루 스물네 시간을 보낸다고 쳐도, 너는 최소한 15명의 친구와 30명 정도의 회사 동료, 2명 이상의 가족과 대화를 나눌 수 있고, 2~3건의 은행 거래와 3~4건의 결재 서류를 처리할 수 있다. 결재 서류 중 한 건 정도는 오늘 승인이 떨어질 수 있고, 너는 그 즉시 실행에 착수할 수 있다. 해야 할 일에 필요한 현장 답사를 위해 요구되는 모든 서류 작업도 오늘 안에 이불 속에서 마감할 수 있다. 식사는 배달시키면 되고, 틈틈이 좋아하는 게임에 한 시간 정도는 투자할 수 있다. 두어 시간 정도는 예능 프로그램을 감상하고, 수만 명의 시청자들과 함께 실시간으로 댓글을 주고받으며 시간을 보낼 수 있다. 미국 프로야구 게임 스코어와 영국 프리미어 리그 실황은 실시간으로 받아 본다. 너는 온종일 그 안에서 생활한다. 모든 것이 라이브다. 모든 것이 실시간이다. 너는 이곳에 있지만, 동시에 이곳에 있지 않다.

거기까지 생각의 촉수가 뻗어 나가자, 너는 인터넷 접속을 포기한다. 그러자 비로소 자유롭다. 이제 네가 하는 어떤 행동도, 어떤 대화도, 어떤 생각도 온전히 네 것이다. 네가 이곳에서 무엇을 했는지는 오직 너만이 알 수 있다. 그리고 네가 만든 기록물만이 유일하게 너의 행적을 설명해 줄 수 있을 것이다. 너는 쿠바에서의 한 달을 비로소 온전히 소유할 수 있게 된다.

전투기

너는 9월 14일 아침 7시경, 하늘을 떠가는 비행기를
목격한다.
도저히 현대에 존재하리라 생각지 못한 비행기였다.
2차 세계대전에 출전한 한 파일럿이 기류를 잘못 타서
시공간을 뚫고 신세계로 들어온 걸까.

수도 하늘에 비행기가 낮게 떴는데(전투기처럼 생겼다)
왜 그런지는 모르겠다. 다만 아무도 그것을 두려워하지
않았다는 점만 분명하다. 하긴, 저런 비행기라면

아바나 폭격을 위해 출격하지는 않았을 것이고, 네가 파일럿이라도 저런 비행기를 몰고 아바나를 폭격하려 하지는 않을 것 같았다. 오늘도 아바나는 평화롭다.

처음 묵었던 숙소가 학교 바로 옆에 붙어 있어서, 너는 아침부터 어린 학생들의 재잘거림을 듣는다. 보통 아침에 조회를 하는 것 같은데, 학생들은 뜻을 알 수 없는 구호를 반복해서 외친다. 교복으로 입은 코요테 색깔 바지(치마)와 흰 색깔 와이셔츠(블라우스) 상의는 꽤 예쁘다. 너는 학생들을 훔쳐보고 있다. 묘한 느낌이 든다. 마치 쿠바의 미래를 엿보는 범죄자가 된 것 같다. 그런데 학생들은 낮게 나는 비행기를 보고도 동요하지 않는다.

너는 쿠바가 심리적 전쟁 상태에 놓인 국가라는 사실을 상기한다. 너의 조국처럼, 이곳에서도 전쟁은 일상이고, 이 아이들은 누군가 평화롭게 살고 있는 자신의 부모, 친구, 조국을 해하려는 모종의 세력이 있다는 사실을 끊임없이 상기하며 살고 있을 것이다. 수도 하늘을 전투기처럼 생긴

비행기가 낮게 날고 있다는 사실은 이들에게 특별한 일이 아니리라. 마치 핵 폭격기 B-52가 한반도 상공을 유유히 날고 있다는 사실이 너에게 아무것도 아닌 일이듯이.

그런 일들은 너의 조국에서 언제나 발생한다. 어느 날 괌의 엔더슨 공항에서 이륙한 B-52가 경기도 오산 기지 상공을 저공비행으로 통과한다. 이 멋진 핵 폭격기를 보기 위해 미리 대기하고 있던 기자들은 약 30초 동안 탄성을 지른다.

B-52는 오전 10시 30분쯤 제주도에 나타나 부산, 대구, 그리고 강원도 동해를 찍고 기수를 돌린다. 거대한 양 날개를 펴고 하늘을 가르는 B-52의 자태는 너무나도 아름답다. 기체 안에 탑재될 핵무기의 끔찍한 살상력은 숭고미로 포장된다. 너는 기껏해야 "아, 저 아름다운 날개의 곡선을 봐!"라며 탄성을 지를 뿐이다.

B-52는 길이 48미터, 무게 220톤으로 공대지 핵미사일과 지하시설 파괴용 벙커버스터, 재래식 폭탄 35발,

순항미사일 12발, 사거리 200킬로미터의 공대지 핵미사일, 사거리 2500~3000킬로미터의 공중 발사 순항미사일을 탑재할 수 있다. 최대 31톤의 폭탄을 싣고 640킬로미터 이상의 거리를 날아가 목표물을 무자비하게 폭격한 후, 추가로 기름도 넣지 않고 바로 복귀할 수 있다.

B-52가 핵무기를 어떻게 싣고 어떻게 떨어뜨리고, 그 핵무기가 떨어지면 몇 명이 죽는지 너는 너무나 잘 알고 있다. 뉴스 몇 토막만 보면 된다. 우람한 근육질의 핵 폭격기, 그 치명적인 매력에 너는 탄성을 지른다. 보라, 이 엄청난 위용을. 수만 명을 살상할 수 있을 만큼의 위력을 가진 인류 최악의 발명품을.

너의 머리 위에 1메가톤급으로 반경 7킬로미터 이내의 모든 사람을 즉시 사망시킬 수 있는 핵무기를 실은 폭격기가 바람을 가른다. 그 사실이 너에게 위안을 준다. 이쯤 되면 한반도 상공은 '판타지'의 세계다.

너는 고개를 들어 하늘을 본다. 쿠바에도 갈매기들이 있다. 전투기같이 생긴 비행기가 그들을 놀라게 하고, 굉음을 내며 지나갔다. 아이들은 여전히 평온하게 농구를 즐기고 있다. 어제 밤에 만나 맥주를 함께 마신 쿠바의 한 언론인이 해 준 말을 떠올린다.

"우린 언제나 준비돼 있어요. 평화를 위해 희생할 준비요. 누구도 우리를 해칠 수 없죠."

쿠바인들도 징병제를 유지하고 있다. 밀리타리 세르비시오militari servicio. 아바나에서 만난 세사르도 군대에 다녀왔다. 그는 2년간 아바나 인근 마리엘의 군부대에서 근무했다고 했다. 이틀에 한 번 정도는 시내에 나올 수 있고, 주말에도 가족들과 보낼 수 있다. 보통 복무기간은 1년이다. 세사르는 군에서 무슨 잘못을 했는지, 2년을 복무했다고 한다.

쿠바의 군부대도 별반 다를 게 없다. 사격장이 있고, 유격 연습장도 군데군데 눈에 띈다. 막사도 비슷하게 생겼다. 너를 수상하게 여겨 못마땅한 눈빛으로 쳐다보는 초록빛 옷의 군인들 표정도 비슷하다. 하늘에 전투기가 떠다니는 장면이야 쿠바인들에겐 그저 일상 풍경일 뿐이다.

어느 누구도 '전투기가 지나갔다'고 소리치지 않는다. 한반도의 어느 누구도 '핵 폭격기가 머리 위에 떠다녀서 무섭다'는 말을 하지 않는다. 그런 언어는 멸종된 듯하다. 반경 7킬로미터의 살상력 따위의 '계량의 언어'들이 대체한다. 누군가 너에게 묻는다. 평화는 무엇인가요. 너는 답할 수 있다. 1메가톤급 핵무기를 보유하는 거요.

2차 세계대전 당시, 1명의 적군을 사살한 지상군 병사와 1만 명의 적군을 살상한 폭격기 조종사 사이에 있는 인식의 괴리, 그 가운데 어디쯤이 너의 인식의 좌표다.

여기, 쿠바의 아바나 시내에서 '방금 전투기가 지나갔어'라고 말하는 사람이 단 1명이라도 있어야 할 것 같았다. 평온한 모든 사람들의 인식에 작은 조약돌 하나 던져야 할 것 같았다. 그게 바로 너였다. 너의 입에서 단말마처럼 하나의 문장이 튀어 나온다.

"방금 전투기가 지나갔어."

주위를 둘러본다. 아무도 없다. 아바나 시내, 베다도의 작은 빌라 2평짜리 방에 너의 문장이 메아리처럼 울린다.

이주

사내는 망망대해를 바라보며 망치질을 했다.
그의 팔이 직각으로 굽었다가 힘차게 펴졌다. 머릿속엔 멋진 보트가 형상화돼 있으나, 눈앞엔 조악한 뗏목의 형체가 드러나고 있다. 이상은 하늘에 닿아 있지만, 두 발은 땅을 딛고 서 있다. 사내는 한낱 인간일 뿐이었다. 등 뒤엔 쿠바의 땅이, 눈앞엔 망망대해가 있다. 90마일. 마이애미와의 거리다. 망치를 쥔 사내의 팔이 또다시 직각으로 굽었다가 힘차게 펴졌다. 울퉁불퉁한 근육의 결을 따라 땀방울이 흐르고 있다.

태어나서 자란 땅을 등지고 떠나는 마음은 어떠할까.
내 땅을 떠나는 데 죽음을 각오해야 한다는 것은 어떤
의미일까.

아바나에서 차를 타고 서쪽 방향으로 한 시간이 채
안 걸리는 곳에 마리엘Mariel이라는 작은 도시가 있다.
도시라고 하지만, 작은 마을 수준이다. 이곳은 쿠바 난민의
슬픈 역사가 살아 있는 곳이다. 브라이언 드 팔마 감독이
1984년에 내놓은 명작 영화 〈스카페이스〉는 쿠바 이민자의
삶을 다룬다. 이 영화의 첫 장면은 1980년 마리엘을 떠나는
수많은 보트들, 그 보트에 매달려 있는 수많은 쿠바인들의
희망찬, 혹은 어두운 표정들에서 시작된다. 누군가는
'아메리칸 드림'을, 누군가는 불안과 두려움을 안고
떠났다. 부자들은 요트를 띄웠고 가난한 자들은 배를 직접
만들어 떠났다. 영화 속 토니 몬타나(알파치노 분)는 왼쪽
눈에 흉터가 있는 범죄자다. 달러에 목마른 이 작고 악랄한
살인 청부업자에게 최고의 체제는 미국이었다. 마이애미의
나이트클럽 '리틀 하바나' 맞은편에서 쿠바 샌드위치

가게에 취직한 그에게 미국은 마치 모든 것이 허용되는 무규칙 이종격투기장이었다. 그는 여성에게 딱지를 맞은 친구를 향해 "내가 말했지, 이곳에서는 먼저 돈을 벌어야 해. 돈을 벌면 힘이 생기고, 힘이 생기면 여자가 생기지"라고 한다. '아메리칸 드림'의 실체다. 쿠바를 떠난 그가 마주한 것은 비정한 미국 뒷골목의 피비린내 나는 살인들이다. 그는 어쩌면 쿠바라는 정글을 벗어나 새로운 정글에 들어왔을 뿐이다. 토니 몬타나는 결국 마약에 쩔어 살다가 상대 파에게 제거된다. 그리고 영화 말미에 등장하는 문구 "The World Is Yours". 미국은 "세상은 너의 것"이라고 강요했고 그것을 실현하려 했던 그는 결국 비참한 최후를 맞게 된다.

1959년에서 1965년 쿠바를 떠난 사람이 약 50만 명이고 1965년에서 1971년 사이에 쿠바를 탈출한 사람이 25만 명 정도라고 한다. 대부분 미국과 협력 관계였던 이른바 반체제 인사들, 범죄자들이었다. 피델 카스트로는 1980년 아바나 근교의 이 작은 마을 앞 바다를 열고 12만

5000명이 마리엘을 통해 쿠바를 떠나 미국으로 향하는 것을 묵인했다. 갈 사람은 가라는 것이었다. 마리엘에서 플로리다까지는 90마일이다. 쿠바에서 미국으로 떠나기에 매우 가까운 곳이다. 그리고 많은 사람들이 이곳에 모였다. 선착장이라고 이름 붙이기도 힘든 바닷가에서 스스로 배를 대고, 뗏목을 만들고 몸을 실었다. 제 몸이 난 땅을 버리고 위험천만한 항해 길에 나섰다. 미국의 승리였을까? 1987년 미국은 마리엘 난민 2000명을 쿠바로 돌려보냈다. 똑같이 야만적인 짓이다. 1994년에는 약 3만 명이 플로리다 해협을 건너왔다. 쿠바판 '보트피플Boat People'이었다. 그들은 통나무, 튜브 등 물에 뜨는 것이라면 닥치는 대로 붙잡아 몸을 싣고 마이애미 해협을 건넜다. 보트피플 사건 이후 카스트로는, 미국이 쿠바 망명을 부추길 경우 쿠바는 더 많은 쿠바인이 탈출하는 것을 방기하겠다고 했다. 미국은 결국 쿠바의 불법 이민을 금지시켰다. 이주는 정치적이다.

이주는 인간에게 숙명과 같은 것이다. 어느 누구도 자발적으로 떠나는 사람은 없다. 사내의 뗏목을 바다로 떼민 손은 누구의 것인가? 떠나는 사람의 숫자를 카운팅하는 쿠바 관료인가, 들어오는 숫자를 카운팅하는 미국 관료인가? 수십만 명의 사연을 일일이 나열할 수도 없다. 비정한 정치의 희생양들이다.

쿠바의 눈물이 서린 마리엘은 상전벽해를 준비 중이다. 브라질 자본이 95% 이상 투입된 '마리엘 경제 특구' 때문이다. 마리엘을 카리브 해의 물류 기지로 만들고자 하는 프로젝트다. 우리 기업들도 이곳 투자에 의욕을 보이고 있다. 이미 계획된 규모의 3분의 1가량 크기의 항만이 생겼다. 이 물류 기지는 더 커질 것이라고 한다. 멀리 컨테이너들이 쌓여 있는 게 보인다. 아마도 유럽에서 들어오는 물건들, 캐나다에서 들어오는 물건들일 것이다. 마리엘에 도착해 분류된 후 남미 전역으로 들어가게 될 것이다. 공사가 한창이니, 근교에 시멘트 공장, 발전소가 생겼다. 이곳에 취직하면 한 달에 약 30만 원가량을 번다고 했다. 쿠바인의 평균 임금(10~15세우세)을 비교해 보면 엄청난 금액이다.

아직 마리엘은 시골 마을이다. 보통 자본주의 사회에서는 공사가 시작되면 전국의 노동자들이 몰리기 마련이다. 그리고 노동자들의 소비를 위한 도시가 만들어진다. 칠레의 광산 도시 깔라마나, 구리 수출 기지인 안토파가스타와 같은 곳들이 그런 사례다. 그러나 이곳은 조금 다른 것 같다. 아무래도 거주 이전의 자유가 제한된 탓이리라. 고용은 현지인 우선이다. 돈은 아바나와 같은 곳으로 흘러들어 갈 것이다. 마리엘 특구가 얼마나 커질지 모르겠다. 그러나 노동력이 부족해지면, 아마도 쿠바 사람들은 이곳으로 이주를 강요받을 것이다. 그 옛날처럼 그들의 등을 누군가 떼밀 것이다. 피자집 몇 개, 펍 몇 개와 작은 슈퍼마켓, 작은 주유소가 전부인 이곳도 변할 것이다.

"요새 젊은이들은 힘도 안 들이고 쉽게 일을 해. 옛날에 내가 트럭을 운전할 때는, 운전대를 돌리는 것도 엄청나게 힘이 들곤 했는데, 요즘 아이들은 한손으로 휙휙 돌리더라고. 버튼 몇 개로 일을 다 해. 이것 봐봐. 내 손은 굽었는데 요즘 일하는 아이들 손은 멀쩡해. 세상 많이 좋아졌어. 누군들 아바나에서 살고 싶지 않겠나. 솔직히 이런 촌구석에서 뭘 할 수 있겠어. 재미도 없고, 친구도 별로 없어. 아바나에 가면 사람도 많잖아. 현대적이고. 돈도 좀 더 만질 수 있겠지. 그러나 가고 싶진 않아. 나도 젊었을 땐 쿠바 전국을 안 다녀 본 곳이 없어. 마리엘을 떠나는 사람들을 많이 봤다고. 그런데 지금 내 나이 일흔넷이야. 이제 어디를 가겠어. 어찌 됐든 여기에 내 집이 있고, 내 마을이 있지. 비록 허름한 곳에서 가난하게 살지만, 행복하게 아무런 걱정 없이 살 수가 있지. 집에서 쫓겨날 걱정도 없고, 굶어 죽을 걱정도 없어. 쿠바를 떠나면 이런 것을 누릴 수가

없다는 것을 잘 알아. 그런데 요즘 젊은이들은
이런 것을 잘 모르는 것 같아."

마리엘의 한 노인이 투덜거린다. 화석처럼 굳은 그의 표정은 말한다. 너희는 그렇게 영영 고향을 등지고 떠나지 말아라. 그리고 그들을 바다로 내몬 그 손의 주인이 되지 말아라.

쿠바를 떠나고 싶다는 젊은이들이 많다. 그런데 쿠바를 떠나면 뭘 할 수 있을까. 뉴욕이나 마이애미의 조그만 방을 얻을 수 있겠지. 본토인이 하기 싫어하는 일자리를 구하고, 모국어를 삼키며 살아야 하겠지. 높은 월세를 내고, 저소득층을 위한 값싼 인스턴트를 사들이겠지. 쿠바인에 대한 편견도 극복해야 하고, 정기적으로 관료들 앞에서 심사를 받아야 하겠지. 미국인이 이룬 위대한 사회에 무임승차한 잠재적 불법 체류자들이여. 무엇보다도 쿠바에 가족들을 남기고 떠나야 한다. 아바나 공항은 날마다 눈물바다가 될 것이다.

쿠바의 호텔 방에서 CNN 뉴스를 켠다. 시리아 난민 문제가 연일 보도된다. 생각해 보면 너도 끊임없이 이주해 왔다. 시골을 등지고 서울에 올라왔다. 도시에서의 이사는 네 마음대로 하는 것이 아니다. 은행은 네 거주지를 지정해 줄 것이다. 전세 값이 오르거나, 직장이 이전하면 너는 또다시 이주민이 될 각오를 해야 한다. 버마, 캄보디아, 베트남의 여성들도 한국행을 결심한다. 일자리를 구하고 결혼 상대를 찾는다. 아랍인들은 전쟁을 피해 유럽의 문을 두드린다. 우리의 등을 떼민 손은 누구의 것인가. 우리는 종종 본질을 잊고 일희일비하며 산다. 배후에 거대한 시스템이 있으리라고 상상을 하지 못한 채 산다.

너는 아무것도 모른다.

네가 얼마나 아둔한 인간인지. 세상의 모든 예측 가능한 상황이 너의 머릿속 매뉴얼에 포함돼 있다고 생각하는데, 천만에! 착각이다. 네가 속한 세상에 대해 눈곱만큼도 너는 아는 것이 없다. 이 넓은 아바나 시내에서 너는 아무것도 할 수 없다. 아. 무. 것. 도.

시스템은 허상이다. 이번만큼은 너에게 '명백한'이라는 수사를 허용하겠다. 이런 문장이다. 시스템은 명백한 허상이다. 예컨대 네게 여권이 없다면, 시스템은 널 튕겨 낸다. 너는 물리적으로 존재하지만 서류상 존재하지 않는 인간이 된다. 시스템은 그냥 거기 있음 직한 어떤 환상의 체계다. 네 존재 자체는 시스템의 일원이 될 수 없다. 시스템은 너를 분류하고, 취급하고, 배달한다.

방금 그가 떠나 버렸다. 그가 떠난 후 너는 아무것도 아닌 존재가 돼 버렸다. 당혹스러웠다. 머릿속이 깜깜하다. 심지어 지금 너는 네가 손에 쥐고 있는 것이 무엇인지도 모른다. 네 손 안에 그것이 있는지, 없는지조차 모른다. 너는 네 손에 돈을 쥐고도, 돈을 찾아 헤매는 사람이다. 네 손에 평화를 쥐고도 평화를 찾아 헤매는 사람이다. 네 손에 사랑을 쥐고도 사랑을 찾아 헤매는 사람이다.

가족? 친구? 너는 그들에 대해 아는 것이 없다. 어쩌면 그들은 네가 만들어 낸 환상이었을 뿐이다. 네가 그들을 알고 있다는 것을 너는 증명할 수 없게 됐다. 네가 아니라 그들이 너를 인지하느냐, 혹은 인지하지 않느냐에 따라 너의 존재는 결정될 뿐이다. 그렇다면 너를 설명해 주는 것은 무엇인가. 너를 둘러싼 수많은 문자 기호들이다. 이를테면 너는 서울에 거주할 수 있다. 나이는 서른일곱 살 정도? 남성, 혹은 여성이며, 직업은 기자, 혹은 택시 운전사일 수도 있다. 한 달에 250만 원을 벌거나, 한 달에 15세우세를 벌거나 한다. 너는 일터를 가지고 있고, 일터에 가면 모두 너의 얼굴을 알아보고 인사한다. 일터에 있는 누구든, 네가 맡고 있는 파트에 대해서 알고 있으며, 네가 일을 망치면 어떤 사고가 발생하는지도 알고 있다. 너의 상사, 혹은 너의 고용주는 네가 맡은 일의 중요도를 네가 생각하는 것보다 더 적게 여길 것이다. 정량 평가를 통해 너를 수치로 환산하기도 한다. 물론 너는 네가 맡은 일이 네 상사나 고용주가 생각하는 것보다 더 중요하고 힘든 일이라고 여긴다. 너는 아침 9시부터, 저녁 6시까지 일하고, 가끔 야근, 혹은 조근을 할 수도 있다. 밤을 새우고 일을 해야 할 때도 있겠다.

뉴욕에 사는, 혹은 아바나에 사는 누군가는, 네가 하는 일로 인해 파생된 어떤 다른 일을 해야만 한다. 네가 일을 멈추면, 그도 일을 멈춰야만 한다. 반대로 런던이나 도쿄에 있는 누군가가 자신의 일을 소홀히 하게 되면, 너는 일자리를 잃거나, 더 많은 일을 해야 할 것이다. 이를테면, 네가 쿠바행 비행기 티켓을 끊는 순간, 너는 관광 산업에 종사하는 전 세계 수천 명의 노동자와 얽히게 된다. 시스템은 그런 것이다.

너는 간혹 주말에 여행을 떠나고 싶어 한다. 버스 회사나 항공 운수 회사는 네가 생각한 바로 거기에 여전히 있을 것이고, 호텔 예약을 위해 돈을 지불하면 은행은 언제나 그곳에서 너의 돈을 안전하게 송금해 줄 것이다. 또한 네 여권을 증명해 줄 법무부도 거기에 있을 테고, 법무부를 관장하는 대통령도 항상 우리가 생각하는 그곳에 있을 것이다. 대통령이 오늘 아침에 본 신문 기사 한 줄은 혹여 너와 관련된 일일 수 있을 것이다. 대통령은 무수한 서류에 사인을 할 것이고, 그 서류가 시스템에 강력한 영향을 미치면서 너와 너의 고용주는 화려한 국책 사업을 위해 세금을 더 부담해야 할 수밖에 없을 수도 있다. 그런데도 너는 그에게 또 투표를 할 것이다. 너는 주말여행에서 돌아와 다시 일터에 나가게 될 것이다. 이 스케줄에는 한 치의 오차도 없다고 너는 여길 것이다. 이것은 우리가 합의한 시스템이기 때문이다.

그런데 이 시스템에, 어느 날 네가 속하지 않음을 깨닫게 된다. 시스템이 너를 튕겨 낸 게 아니다. 그 시스템이라는 것 자체가 환상임을 깨닫게 된다. 너는 너를 입증할 수 없다. 네가 등록된 세계가 사라졌다.

그러자 저 멀리서 아바나를 향해 밀려오는 먹구름처럼 너는 먹먹하다. 문득 너는 작은 돌처럼 외롭다. 병에 걸린 사람처럼 세상이 두렵다. 두려움은 너의 유일한 노동이 된다. 너는 단지 70억 분의 1의 남자. 그가 떠난 지금, 누구도 너에게 안부를 묻지 못하리라는 사실을 깨닫는다. 네가 죽더라도 너를 알아볼 수 있는 사람은 없을 것이다.

아니, 네가 죽었는지 살았는지조차 확인할 길이 없어졌다.
네가 서울에서 이뤄 놓은 모든 것들로부터, 너는 이격됐다.

너는 안절부절 못하고 있다. 지친 몸을 이끌고 갈 수 있는 곳은 딱 한 군데, 네가 예약한 호텔이다. 다행히 호텔은 그곳에 있다. 그런데 오늘따라 호텔 프런트의 그녀는 유달리 불친절하다. 불친절함을 처벌할 방법은 없다. 이를테면 아바나 경찰은 페이스북을 차단할 순 있지만, 그녀의 불친절함은 막을 수 없다. 불친절함은 시스템 밖에 있기 때문이다. 너는 겨우 호텔 방에 도착한다. 그런데 오늘따라 키가 말을 듣지 않는다. 왜 그런지 모른다. 키를 꽂으면 녹색 불이 들어와야 하는데, 붉은 불이 계속 점멸하고 있다. 너는 또 당황한다. 이 호텔은 전부 시스템 밖에 있는 것인가? 너는 불친절한 프런트의 그녀를 다시 찾아야 한다. 그녀에게 말을 듣지 않는 호텔 키에 대해 설명해야 한다. 다행히 그녀는 호텔 키를 시스템 안으로 무사히 안착시켜 준다. (당연한 일 아닌가. 왜 이게 다행인가!) 지친 몸을 이끌고 네게 할당된 유일한 공간, 호텔 방 안에 들어와 보니 철제 금고가 비웃듯 입을 벌리고 있었다. 찌는 듯한 더위 속에서 에어컨의 날개는 망가져 있었다. 모든 시스템이 너를 비웃고 있다. 그래야만 하는 것, 거기 있어야만 하는 모든 것들이 너를 비웃고 있다. 심지어 너는 오늘 온종일 먹지를 못했다.

사실 우리는 시스템이라고 믿는 것 안에 있을 뿐이다. 너는 말하자면 허공에 떠 있는 구름 같은 존재다. 내일 너는 직업을 잃을 수도 있고, 누군가에게 해코지를 당할 수도 있다. 네가 투자한 주식은 어느 날 갑자기 곤두박질친다. 출근길 버스 노선이 갑자기 사라질 수도 있다. 당장 내일 알 수 없는 이유로 경찰서에 잡혀 들어갈 수도 있다. 애인의 변심에 식음을 전폐하고, 동료의 배신에 이를 갈게 될 수도 있다. 그러나 너는 이런 일들을 예측할 수 없다. 시스템이 단단하다고 믿기 때문이다. 그런 일은 갑자기 발생하지 않으리라고 생각하기 때문이다. 기계처럼 정확하게 돌아가는 세계 속에 속해 있었다고, 방금 전까지 생각해 왔기 때문이다.

시스템이 단단하다고 믿을수록, 그 시스템의 실패로 인해 네가 느끼는 절망감은 더 커진다. 그럼에도 불구하고 너는 절망감을 달래기 위해 또다시 시스템에 기댄다. 지친 몸과 마음을 달래기 위해 어리석게도 또다시 비행기 티켓을 끊고, 아바나의 한 호텔 방을 예약할 것이다. 또다시 너는 위험천만한 짓을 하는 것이다!

지구 반대편, 아바나, 23가와 L거리가 만나는 곳, 아바나 리브레 호텔 앞에 너는 문득 서 있다. 멀리서 천둥이 친다. 말레콘 저 너머, 대서양 어디쯤에서 번개가 친다. 구름은 비를 몰고 서서히 너를 향해 다가온다. 이 순간 명백한 것은 단 하나, 하늘은 네게 비를 뿌릴 것이고, 너는 혼돈 속에서 아무것도 할 수 없는 스스로를 발견한 후 망연자실할 뿐이다.

오늘 아침, 너는 교황이 집전하는 미사를 보기 위해 혁명 광장까지 20분을 걸었다. 3만여 명의 군중이 혁명 광장에 모였다. 교황이 미사를 끝내며 '라 파스(La Paz, 평화)'를 외치자 사람들도 '평화'를 외쳤다. 옆 사람과 키스를 주고받고 악수를 주고받았다. 너는 이제 미술관에 가기로 한다. 그러나 아마 교황은 너를 시스템 밖에 놓고 시험에 들게 하신 것 같았다. 네가 찾은 미술관은 여전히 굳게 닫혀 있었다. 어쩔 수 없이 호텔로 돌아오기 위해 택시를 탔다. 그리고 택시에서 내린 순간 그는 너를 떠나 버렸다. 만약 오늘 미술관에 들르지 않았다면, 너는 그를 떠나보내지 않을 수 있었을 텐데. 오, 교황이시여, 당신이 원하는 게 정녕 이것이었던가요. 이제 그를 죽일 수밖에 없습니다. 그를 죽이고 그를 잊어야 합니다.

9월 20일, 교황의 혁명 광장 미사가 있던 날 핸드폰을 잃어버렸다. 택시에 두고 내렸다. 너는 호텔 전화 부스에서 한국에 전화를 걸고 핸드폰을 정지시켰다. 필요한 것은 단지 몇 개의 동전뿐. 모든 중요한 메모들은 핸드폰에 들어 있다. 쿠바에 살고 있는 모든 지인들의 정보가 그곳에 들어 있다. 당분간 너는 아무것도 할 수 없을 것 같다.

물

너는 항상 목이 마르다.
눈물도 말려 버릴 듯한 태양 아래에서 목적지를 정하지 않고 방랑하는 자는 항상 목이 마른 법이다.

그런데 물을 구하기가 쉽지 않다. 생명을 연장해 주는 신비로운 액체, 투명하고 아주 약간의, 아주 약간의 비린 맛이 나는 '넘버 원 쿠바, 시에고 몬떼로No.1 Cuba, Ciego Montero' 상표가 붙어 있는 그 물의 귀중함을, 너는 며칠 동안 절실히 느끼게 된다. 쿠바에 도착해 가장 먼저 한 일이 물을 사는 것이었으니까. 시원한 야자수 두 그루가 플라스틱 물병을 두르고 있는 그 디자인만 봐도, 너는 청량감을 느낄 수 있다. 뒷면에는 친절하게 '고객 서비스 센터' 전화번호와 이메일 주소가 새겨져 있는 그 시에고 몬떼로 아구아Agua. 투명한 생명의 액체.

9월의 쿠바는 덥다. 매우 덥다. 한두 시간만 돌아다녀도 땀에 흠뻑 젖는다. 그러면 자연히 물을 찾게 되는데 그걸 구하기가 쉽지 않다. 확실히 물을 파는 곳은 알지만 그곳까지 걸어가기 위해서는 꽤 많은 땀을 흘려야 할 것 같다. 그러다 보니, 가까운 곳에서 물을 팔 만한 가게를 찾게 되는데, 단언컨대, 네가 물이 필요한 곳 근처에는 물을 파는 곳이 없을 것이다. 빵을 떨어뜨리면 버터 바른 면이 항상 바닥을 향하는 것과 같은 이치다. 평소에 물을 팔던 곳에서도 어느 날 물이 똑 떨어져 버릴 때가 있다. 숙소 근처 주유소에 딸린 작은 편의점 같은 곳인데, 그저께 너는 물을 샀지만, 어제는 물이 없었고, 오늘도 물이 없다. 내일도 아마 물이 없을 예정인 것 같다. 모레도 그렇겠지. 그런 절망적인 상황이라면 너는 또다시 먼 길을 가야만 한다. 먼지투성이 길을 오래 걸어야 한다. 주로 술집에 가면 물을 파는데, 두 배 정도 비싸다. 그러나 어쩔 수 없다. 물이 없어 수돗물을 잔뜩 먹고 잔다면, 이튿날 묽은 변을 볼 수도 있을 일이다. 그건 꽤 공포감을 불러일으킨다.

지금 이 글을 쓰고 있는 이 순간에도 물이 떨어져 간다. 시간은 벌써 밤 9시를 향해 가는데, 이 밤에 물이 없다면 너는 공포감에 떨 수밖에 없다. 큰마음 먹고 외출을 한다. 두 군데의 구멍가게를 들렀으나 허탕이다. 결국 번화가의 술집까지 가야만 한다. 술집에 도착했을 때, 너는 땀에 흥건히 젖어 있다. 술집에 간 김에 맥주 두어 캔과 간식거리를 충동구매한다. 그러면 벌써 물 하나를 위해 6세우세를 쓴 셈이 된다. 300밀리리터 정도의 땀을 배출한 것은 덤이다.

한 여행객의 말에 따르면, 어느 가게에 물이 떨어질 경우,

그 동네 일대에 물이 품귀 현상을 빚고 있는 것으로 봐도 무방하다고 한다. 너도 그 정도는 가볍게 유추할 수 있을 것이다. 실제로 어느 날에는 물을 사려고 택시를 잡아 타 시내에 나간 적도 있었으니까. 심지어 너는 꿈에서 물을 사는 너의 모습을 목격하기도 했다. 진짜다.

교황이 혁명 광장에서 미사를 집전한 그날도 매우 더웠는데, 그놈의 물이 말썽이었다. 다행히 물차가 있어서 몇 모금 얻어 마시긴 했지만, 그날따라 유난히 갈증이 심했다. 미사가 끝나자마자 허겁지겁 호텔로 돌아왔다. 물을 사기 위해 호텔 바의 문을 두드렸다. 그 모습을 본 호텔 직원이 너를 부른다. 그리고 양손을 교차해 엑스 자를 그려 보인다.

"어디에서 물을 살 수 있나요?"

이 간단한 물음에 호텔 직원은 고개를 절레절레 흔든다. 물을 살 곳은 어디에도 없다는 그런 표정이다. 결국 너는 또다시 호텔 방 수돗물로 배를 채워야 한다. 이날이 일요일이라는 사실은 특히 너의 공포심을 배가시킨다. 너는, 밥은 먹을 수 있을까?

교황의 미사에 대규모 군중이 모였던 날이어서 그런 것인지, 호텔 주변 가게는 모조리 문을 닫았다. 피자 가게가 하나 열려 있었으나, 물은 없고 비싼 콜라만 팔고 있다. 코카콜라 1리터를 만드는 데 9리터의 물이 든다고 하는데, 대체 우리는 무엇을 위해 코카콜라를 만드는 것일까. 무엇을 위해 저개발 국가의 아이들은 코카콜라 공장에서 폐수를 제조해 바다에 버리는가. 너는 고민에 빠진다. 물이 있어야 호텔 방에서 에어컨을 틀어 놓은 채 하루를 온전히 쉴 수 있을 것이다.

이것은 일종의 공포다. 너는 이런 공포를 꽤 오랜만에 느껴보는데, 우리가 사는 세상에는 도처에 식수가 널려 있기 때문이다. 우리는 물이 떨어지는 고통을 경험한 지 너무 오래됐다. 마트에, 편의점에 물병이 쌓여 있는 모습을 익숙히 봐 왔던 네게, 생수를 구하기 어렵다는 사실은 낯설다. 물공장이 없다는 불평도, 상수도 시설이 형편없다는 불평도 딱히 뭐라고 하기에는 힘들다. 그러나 기본적으로 쿠바는 물 부족 국가로 분류돼 있다. 고급 호텔이나 식당에 가면 물론 비싼 외국산 물을 사 먹을 수 있다(굳이 그럴 필요는 없다. 너의 주머니는 넉넉하지 않다).

결국 택시를 타고 시내에 나가 시에고 몬테로를 넉넉하게 사 왔다. 그렇게 하루를 겨우 보낸다. 월요일부터는 물을 마음껏 사들여야겠다고 너는 생각한다. 그리고 눈을 뜨자마자 아침에 마트에 들러 5리터짜리 생수통 2개를 사들였다. 작은 생수병에 물을 옮겨 담아 냉동실에 넣어 두고, 물 2병을 챙겨 거리로 나섰다. 쿠바 여행의 팁이라면 팁이다. 생수통을 걸머지고 오면서 흘린 땀은 그 생수통으로 보충할 수 있다.

Agua
Pase
Nopase
B 021 137

둥글 넙적한 원형의 물탱크를 이고 다니는 물차는,
유동인구가 많은 아바나 시내에서 흔히 볼 수 있다. 상수도
시설이 부족해 곳곳에 건물의 물탱크를 채워 주는 물차는
오후 4시경이 되면 번잡한 길거리 곳곳에서 출현하기
시작한다. 이 물로 사람들은 생명을 유지하고, 요리를
하고, 몸을 씻어 내고, 여행객을 먹인다. 뜨거운 거리에서
물탱크 안에 가득 찬 물을 상상한다. 한 무리의 청년들이
장난스럽게 물탱크에 달린 커다란 수도꼭지를 열어
버린다. 콸콸 쏟아지는 물 아래로 머리를 들이밀어 적신다.
점잖은 너는 입맛만 다시고 있다.

까만 옷차림을 하고 붉은 가방을 든 까만 미인이 밤에 호텔 테라스 바에서 포풀라르 담배를 물고 백인 남성에게 말을 건다는 것은 무엇을 의미할까?

그녀의 팔에는 금빛 시계가 반짝거린다. 비가 내리고 있다. 끈적한 바람이 말레콘에서부터, 플로리다 해협에서부터 불어오고 있다. 까만 미녀가 나이 든, 붉게 그을린 늙은 백인에게 말을 걸었다. 너는 영어로 이어진 그들의 대화를 들으며 수첩을 꺼내 들고 호텔 테라스 바에 앉아 있다.

"어디에서 왔어요?"

"네덜란드에서 왔어요. 여행 중이에요."

"혼자요?"

"아뇨, 친구와 함께요."

"여자친구?"

"아뇨. 전 결혼했어요."

"아이도 있어요?"

"그럼요. 열다섯 살 난 딸이 있고, 열세 살 아들……."

"아이가 몇이에요?"

"넷이요."

"와우!"

10분 정도 대화를 한 후 그들은 겨우 통성명을 한다.

"얀이에요."

"전 미카엘라에요."

이 호텔 옆은 아바나 리브레 호텔이다. 쿠바에서 최고급 호텔에 속한다. 그런 호텔도 아니고, 그 인근에 있는 이런 중급 호텔에 와서, 여행객에게 말을 거는 쿠바 미녀라니. 남자는 캔 맥주를 하나 더 사러 펍 안으로 들어갔다. 아무래도 그녀의 영어 실력은 그의 흥미를 크게 끌지 못한 것 같다. 그녀는 영어로 말하며 더듬거렸고, 초보적인 어휘들을 사용했다. 그가 맥주를 사기 위해 자리를 비운 사이, 옆 자리에 앉아 있는 쿠바 남자들이 스페인어로 말을 건다. 그녀는 그들과 빠른 속도로 대화를 나눴다. 그가 맥주를 사 들고 다시 테라스 바로 돌아왔다. 대화가 잘 들리지 않는다. 그녀는 '제 직업은 (안 들린다)입니다. 저는 지금 휴가 중이에요. 그런데 지금은 아니지만 저는 전에 바에서 일을 한 적이 있어요. 많은 사람들과 이야기를 나눌 기회가 많았답니다' 라고 한다.

몇 마디 대화가 더 오갔다. 주로 그녀가 물었고, 백인 남자가 대답했다. 백인 남자는 가끔 쿠바 관광지에 관한 무엇인가를 물었고, 그녀는 서툰 영어로 그에게 설명을 해줬다. 그리고 그들은 교황 방문에 대한 이야기를 나눴다. 지금 보니 그녀의 손톱은 핑크색이다. 대부분의 쿠바 여성들이 그렇듯, 손톱을 길렀다. (아니면 인공 손톱이거나.) 검은 여성, 반짝이는 실크 드레스, 핑크 손톱. 그녀가 말했다.

"맥주 한 잔 더 사주시겠어요?"

붉은 피부의 늙은 백인 남성이 말했다.

"아뇨."

20초간 어색한 침묵이 지나갔다. 그녀는 담배를 꺼내 물었다. 남자가 다시 뭔가를 물었다. 그들은 간헐적으로 대화를 이어 갔다. 남자 앞에 놓인 맥주가 비워질 때까지.

돌이켜 보면, 7년 반 전 쿠바를 찾았을 때도 비슷한 경험을 했던 것 같다. 쿠바 여성들이 아무 이유 없이 왔고, 맥주를 같이 나눠 먹은 후, 럭키스트라이크 담배를 사 달라는 그들의 부탁에 대해 싸구려 담배를 사 주는 것으로 응수하자, 곧 대화가 중단된 적이 있었다. 그게 7년 반 전이다. 지금, 너는 그때 생각을 한다. 변한 것은 별로 없구나. 누군가는 '창녀가 많이 늘었다'고 신문 면에 갈겨쓰겠지만, 너는 잘 모르겠다. 어느 사회나, 어느 시대나 여성은 약자고, 그들은 그들 나름의 생계를 꾸리기 위해 고군분투한다.

남자가 일어서서 떠난다. 작별 인사를 했다. 아름다운, 까만 여성은 가방을 여민다. 형광과 같은 붉은 빛의 심플한 가방은, 그러나 한눈에 봐도 싸구려다. 밤은 그런 가방도 명품으로 만들어 준다. 어둠의 힘이다.

작별 인사를 한 남자가 다시 나타났다. 그는 여자에게 크리스탈 맥주를 하나 건넸다. 여자는 '고마워요'라고 말했다. 남자는 몇 마디를 더 한 후에, 자신의 우산을 들고, 그 자리를 떴다. 여자는 결국, 자신의 바람대로, 맥주를 한 잔 더 얻었다.

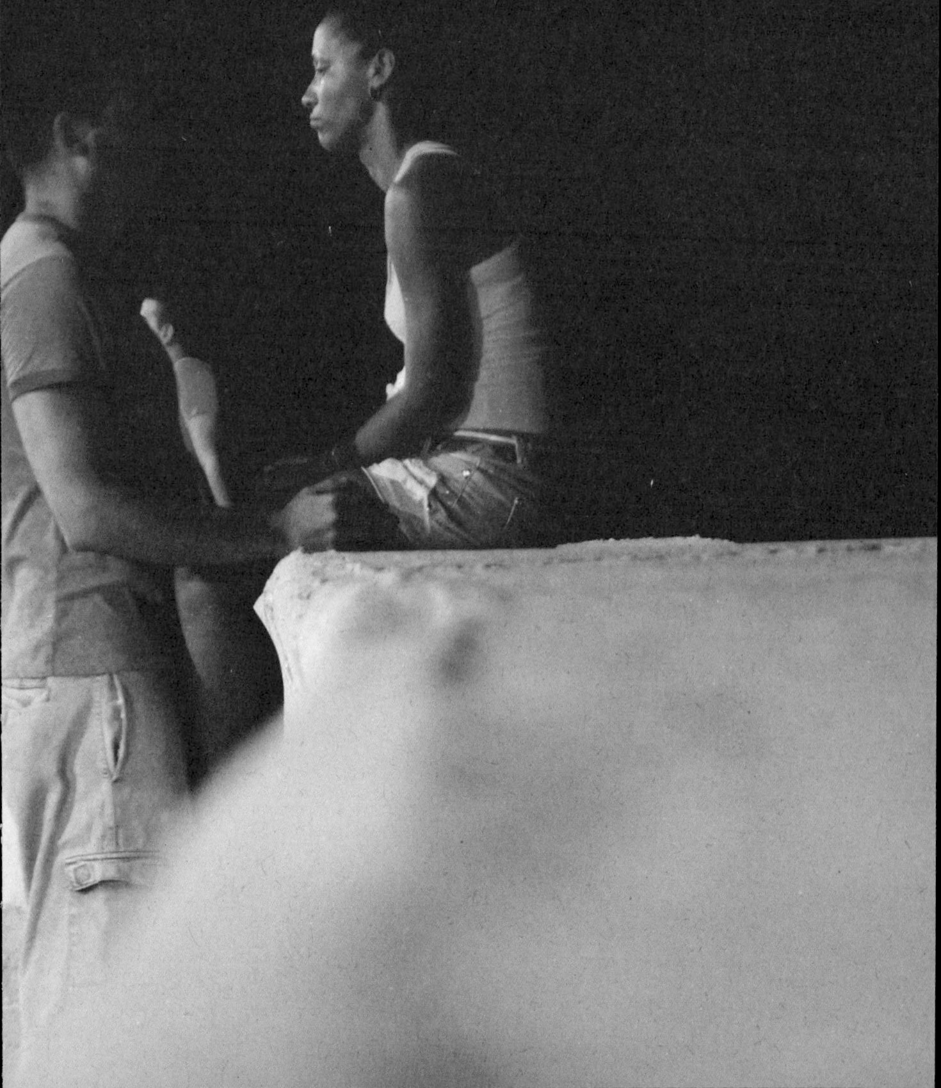

가난

여행이라는 고행은 오래 다녀야 이력이 붙는 법이다. 며칠짜리 여행은 대개 날마다 불안과 공포로 점철되기 마련이다. 여권 따위를 잃어버린다거나, 예약한 기록이 통째로 날아간다거나, 분명 있으리라 믿었던 것이 없는 상황은 언제나 발생한다. 하루하루 극도의 스트레스를 견뎌야 한다. 인터넷엔 사진 몇 장과 글귀 몇 토막으로 수식되는 행복한 여행 포스팅이 난무하지만 행복한 여행이란 없다는 것을 가 본 사람은 안다. 연속된 불행 속에서 예상했던 돈과 시간을 두서너 배 탕진한 뒤에야 비로소 사진 한 장 찍어 올릴 여유가 생긴다. 그 잠시의 평온 뒤에는 또 다른 사건, 사고가 도사리고 있으니, 여행이란 것, 특히 외국 여행이란 것은 시스템에 익숙한 우리의 몸을 고난으로 밀어 넣는 행위나 마찬가지다.

여행은 그래서 길게 해야 제맛이다. 일주일 정도 시행착오를 겪다 보면 몸과 마음을 턱 하고 놓는 시점을 지나게 되는데, 그때부터 너는 집에 두고 온 보송보송한 침대가 아니라, 더럽고 냄새나는 여행자의 침대를 맞이할 수 있게 된다. 그 변곡점을 지나 너는 비로소 여행하는 인간이 된다. 연이은 실수, 터무니없는 상황 전개에 단련된 너는 가벼운 인종 차별 정도는 감내하고 지나갈 수 있게 된다. 좋아하는 음료와 메뉴가 생기고, 즐겨 쓰는 말과 몸짓이 생기고, 하지 말아야 할 행동 리스트를 몸에 새긴다.

그런데 문제는 그렇게 익숙한 상태라고 해도, 전혀 예상치 못한 사태가 언제 어디서든 계속 발생한다는 점이다. 너는 또다시 머리에 망치를 얻어맞는 것이다.

아지랑이 이글거리는 9월, 프란치스코 교황은 아바나 공항에 내린 후 푸조 픽업트럭 개조 차량을 타고 쿠바의 더운 공기를 마음껏 마시며 빈민가의 도로를 달렸다. 말레콘이라든가, 이름난 대로라든가 하는 길을 피하고 일부러 빈민가를 골랐다고 한다. 서울을 방문한 교황이 구로동 고개 구불구불한 도로에서 카퍼레이드를 벌였다는 말인데, 역시 '파파 프란치스코구나' 했다.

미라마르나 베다도, 센트로 아바나, 올드 아바나 등을 벗어나 내륙 쪽으로 조금만 올라가면 이른바 '빈민가'가 나온다. 물론 베다도나 올드 아바나의 쓰러져 가는 듯한 낡은 건물들이 그다지 고급스러운 게 아니긴 하지만, 빈민가에 들어서면 조금 더 안쓰러운 실정을 마주하게 된다. 비포장도로에 부서진 건물들 안에서 지저분한 옷차림의 사람들이 무거운 리어카를 밀고, 무거운 짐을 메고 어디론가 발을 내딛고 있다. 도로가 공용 쓰레기통에서는 깨진 틈을 타고 검은 물이 흘러내리고, 도로 여기저기에는 물웅덩이가 패여 있다.

한 쿠바인이 너에게 "쿠바 빈민가의 실상을 보여 주고 싶다"라고 말한다. 번화한 아바나 거리에 흘러 다니는 세우세와 달러에서부터 멀리 이격된 그들은 부족한 배급에 의존하고, 거친 노동으로 삶을 이어 가며, 간혹 외국 NGO 단체의 도움으로 물이 새는 집을 수리하기도 한다. 젊은 쿠바 아이들이 피자 가게에서 말타(Malta, 보리맛 탄산음료)를 들이켜며 가난한 노인들을 흘긴다. 그리고 가게 옆에 붙어 있는 작은 거울을 보며 레게톤 스타일로 다듬은 멋진 머리를 조심스레 매만진다. 한껏 멋을 내고 서로의 얼굴을 보며 낄낄거린다. 저 노동자와 저 젊은이는 한동네에 어울려 살며 다른 욕망을 꿈꾸고 있는 것이다. 젊은이들은 아바나 시내에서 조금 더 세련된 삶을 살고 싶어 한다. 그러나 나이 먹은 사람들은 물이 덜 새는 집으로 이주하는 것도, 비싼 음식을 사 먹는 것도, 좋은 옷을 입는 것도 여의치 않다. 아니면 관심 없어 하는 것일 수도 있다.

너는 한 남자를 본다. 해진 티셔츠, 더러운 바지, 그 안에 들어찬 그의 지친 몸, 구석구석 자리 잡은 오래되고 질긴 근육들은 태양빛을 받아 강렬한 콘트라스트를 만들어 내고 있었다. 손은 울퉁불퉁 거칠고, 이빨은 군데군데 빠져 있다. 그래도 그는 묵묵히 쓰레기통을 비우고 폐자재를 어디론가 옮기고 있다. 이 도시에서 가장 하찮고 가장 힘든 노동이 그들의 몫이리라. 정치는 그들의 삶을 해결해 주지 못하고 있는 것 같았다.

아르헨티나의 부에노스아이레스나, 베네수엘라의 카라카스, 페루의 리마에서 봤던 빈민가를 상상해 본다. 부에노스아이레스 공항에서 시내로 들어가는 길 주변에는 바스러질 것 같은 잿빛의 낮은 건물들이 죽 이어져 있었다. 그곳에 들어가는 순간 너는 거칠고 무례한 젊은이들의 먹잇감이 될 것이다. 그중 한둘쯤은 총을 소지하고 있을 것이다. 리마의 빈민가에는 피라냐 같은 아이들이 돈 많은 관광객들을 노린다고 들었다. 카라카스 역시 꽤 무서운 곳이다. 그곳의 아이들은 빵 대신 총을 산다고 한다. 새벽, 호텔 방에서 거리의 총성을 듣는 것만큼이나 섬뜩한 일은 많지 않다.

전 세계의 빈민은 정치와 시스템의 희생양들이다. 그들은 당연히 존재할 수밖에 없는 부작용이고, 모든 시스템의 리더들은(사실은 리더라기보다는 집행관일 뿐이다) 그들의 빈곤을 없애기 위해 노력하고 있다고 선거 때마다 강조한다. 시스템의 악惡인 빈곤을 구제하고, 모두가 잘 사는 사회를 만들겠다고 호언한다. 그들은 빈곤을 없애는 게 불가능하다는 말을 하지 않는다. 결코 속내를 들키지 않는다. 사실은 불가능한데.

인간의 욕심과 권력의 비대칭, 한정된 자원, 그 거친 시스템 속에서 물고기를 잡는 법을 터득하지 못하고, 남의 것을 빼앗을 기회를 잃어 열등한 채로 남은 그들은, 시스템이 부양해야 할 '짐'이다. 그 '짐'을 감당해 나가는 것으로 시스템의 집행관들은 도덕적 정당성을 획득한다. 그리고 투표권을 가진 교양 있는 중산층에 호소할 것이다. 너 역시 마찬가지일 것이다. 연민에 가득 찬 너의 마음을 본다. 너의 머리는 가난한 자들이 왜 가난한지에 대해 냉철한 판단을 내리고선, 그 판단을 얼른 숨겨 버린다. 그것은 네가 날마다 겪는 치열한 내적 투쟁이다. 인간이라면, 떠오른 대로 내뱉고 싶은 말이나, 이성적으로 내린 냉혹한 판단에 윤리적 필터를 들이대야 한다고 너는 생각한다. 너는 저 사람을 불쌍하다고 여기면서도, 불쌍하다고 말하는 것을 금지한다.

너는 손과 등이 굽은 저 사람의 짙게 패인 얼굴을 본다. 땀투성이 몸을 이끌고 고된 노동을 이어 가는 저 생명체. 쿠바는 사실 알려진 만큼 평등한 국가가 아니라는 다른 쿠바인의 말을 듣고 있는 너는, 알려지지 않은 빈민가 사람들의 비루한 삶에 대해 상상을 해 본다. 쿠바는 평등의 나라지만, 상대적 가난은 어디나 마찬가지로 존재한다. 너의 쿠바인 친구가 말한다.

> "쿠바의 가난한 모습을 많은 사람들과 공유해 주세요."

너는 다시 손과 등이 굽은 저 사람의 깊게 패인 얼굴을 본다. 그의 눈에 땀방울이 흘러 들어갔다. 그는 미끈미끈한 손등으로 눈을 비볐다. 기름때 묻은 갈색 셔츠를 잡아끌어 얼굴을 훔쳤다.

그러다 끌던 리어카를 멈춘다. 너는 보았다. 그가 피자 가게에 달려 있는 작은 거울 앞으로 가는 것을. 그는 천천히 굽은 등을 폈다. 그리고 느린 손으로 옷매무새를 가다듬고 머리를 단정히 매만졌다.

감기

너는 감기에 걸렸다.
이방인은 감기에 쉽게 노출되는 것 같다. 더운 날씨에, 에어컨, 그리고 찬물로 샤워하기. 너는 바이러스에게 빌미를 줬다. 머나먼 타지에서 겪는 아픔은 두 배로 힘들다. 너는 따뜻한 국물과 차진 흰 쌀밥을 생각한다. 민박집 주인아저씨는 세비야 호텔Sevilla Hotel에 가면 약국이 있다고 알려 줬지만, 너는 길거리 약국을 가고 싶어 한다. 호텔 시스템이 주는 편리함을 거부하고, 평범한 쿠바 사람들이 다니는 로컬 약국을 경험해 보고 싶어 한다.

분명히 어느 골목에서인가 약국을 본 적이 있던 것 같다. 너는 가방을 꾸리고 민박집을 나선다. 태양은 강렬하다. 땀이 줄줄 흘러내리고 머릿속엔 아지랑이가 피어오른다. 하늘은 어두워졌다가 밝아지기를 반복한다. 이따금씩 비가 오는 아바나 비에하를 등지고 센트로 아바나Centro Habana로 향했다. 그리하여 모험이 시작된다.

1856년, 문을 연 아바나 최초의 호텔, 잉그라테라 호텔Inglaterra Hotel을 지났다. 너는 1879년 이 호텔에서 연설한 쿠바 독립의 영웅을 본다. 호세 마르티José Martí는 이곳에서 왜 쿠바가 독립해야 하는지 목소리를 높였다고 한다. 19세기 말 미국-스페인 전쟁 당시 종군 기자들이 진을 치고 있던 호텔도 바로 이곳이다. 쿠바의 오래된 호텔들은 사랑, 전쟁, 독립, 혁명, 그리고 마피아의 역사가 어지럽게 뒤엉켜 있다. 힐튼 호텔Hilton Hotel이었던 아바나 리브레 호텔은 베다도의 23번가 언덕에 우뚝 서 있다. 1959년 피델 카스트로는 이 호텔 24층에 사령부를 꾸렸고, 후에 이 호텔을 국유화한다. 미국 호텔 자본의 상징 힐튼 호텔이 아바나 자유의 상징이 된 것이다. 가끔 국제전화를 하기 위해 들르는 텔레포니코Telefónico가 호텔 로비에 있다. (빌어먹을, 너는 또 전화기를 잃어버린 악몽을 다시 떠올리고 있다.)

나시오날 호텔은 말레콘의 랜드마크 같은 곳인데, 혁명 전엔 미국 마피아 보스들이 돌아가며 소유했다고 한다. 카지노와 매춘이 성행했던 곳으로 유명하다. 지금은 교황을 만나기 위해 온 각국 정상들이 묵고 있다. 정상회담이 열리는 단골 장소로, 고품격 전천후 별 7개 국영 호텔이다. 너는 물라토 여성과 함께 시가를 물고 말레콘을 거닐던 오만한 시실리아 마피아들을 떠올리다 고개를 들고 카피톨리오를 본다. 카피톨리오는 아바나의 상징 같은 곳이다. 짓는 데 3년 2개월 20일이 걸렸고, 5000명의 노동자가 동원됐다고 한다. 그곳은 과거 쿠바 독재 정권의 상징과도 같은 곳이다. 미국의 국회의사당을 그대로 본떴고(조금 더 크다고 한다), 혁명 후에는 쿠바과학기술원이 됐다. 지금은 보수 공사가 진행되고 있어 일반인의 방문은 제한된다. 기침이 거칠어졌다. 눈알이 빠질 것 같다. 한낮의 센트로 아바나는 검은 연기를 내뿜는 자동차들의 경연장이다. 마치 화석과도 같은 자동차가 굴러다닌다. 마른하늘에 번개가 친다. 미국 대통령 링컨의 동상을 지났다. (왜, 쿠바에 링컨의 동상이 있는 것일까?) 시커먼 매연이 눈을 찌른다. 즐비한 상점을 뚫어져라 쳐다본다. 향수와 비누와 샴푸를 파는 가게, 보석을 파는 가게, 라이터 가스 충전소, 시계 수리점, 값싼 레스토랑, 최신 쿠바 패션이 진열된 옷 가게, 정육점(너는 사진을 찍다가 사람들에게 눈총을 받았다. 심지어 어떤 사람은 네게 와서 정중하게 '이곳에서는 사진을 찍으면 안 됩니다'라고 말해 줬다), 대형 마트, 츄러스, 주스, 샌드위치, 옥수수, 건빵을 파는 노점상들, 그러나 약국은 없다.

분명 너는 어디에선가 약국을 본 것 같다. 대형 상점에 들어갔다. 시멘트 포대와 페인트, 그리고 건축 자재들이 잔뜩 쌓여 있다.

7년 전, 페루에 갔을 때였다. 페루의 수도 리마 시내 빈민가에는 군데군데 짓다 만 집들이 건조하게 늘어서 있었다. 쌓이다 만 벽돌, 시멘트 구조물엔 곳곳에 철근이 튀어나와 있었다. 궁금해 물으니, 돈이 생길 때마다 시멘트나 모레를 조금씩 사와 집을 완성시키거나, 넓히고 있다는 설명이 돌아왔다. 벽돌을 건조하고 있는 집들도 눈에 띄었다. 쿠바 사정도 별반 다르지 않으리라 생각했다. 아바나 비에하는 낡았고, 베다도의 주택들은 언제나 수리 중이다. 쿠바의 주택 문제는 우리와 다르다. 모든 시민들에게 거주할 수 있는 집은 주어진다. 혁명에 찬성하지 않았던 쿠바인들이 1959년 이후 베다도의 널찍한 집을 버리고 미국으로 망명을 간 덕에, 혁명을 찬성했던 가난한 사람들도 집을 갖게 됐다. 그러나 여전히 꽤 많은 가구가 좁은 집에서 여러 가족들과 함께 산다. 낡은 집 거주자와 튼튼한 집 거주자의 삶의 질은 다르다고 한다. 평등 속 불평등이다. 좋은 집으로 이사 가고 싶은 욕망도 있다고 한다. 최근 개혁 조치로 부동산 거래의 제한이 일부 풀렸다고 하지만, 대부분 돈이 드는 일이다. 일반 사람들에게는 언감생심.

쿠바에도 도시 외곽으로 나가면 빈민가가 많다. 쓰러져 가는 집들도 있다. 이 때문에 집을 수리해 주는 국가 주도 프로젝트가 활발하다. 외국 NGO와 쿠바 내 민간단체들도 빈민가 집수리 프로젝트에 참여한다. 물론 부족한 물자는 걸림돌이다. 진정한 '평등'을 이루기엔 현실은 아직 초라하다.

센트로 아바나에 있는 시몬 볼리바르 가로 들어섰다. 남미 독립의 영웅 이름을 딴 거리다. 이 길을 죽 가면 살바도르 아옌데 거리가 나온다. 칠레의 공산주의자 대통령 이름을 땄다. 혁명 쿠바는 남미의 독립 영웅이나, 칠레의 공산주의자 대통령을 기린다. 아옌데의 이야기는 전설과도 같다. 쿠바 혁명의 충격파가 남미 대륙을 강타한 후, 칠레에는 파블로 네루다의 지지를 받은 공산주의자가 대통령에 시민들의 힘으로 당선된다. 아옌데가 구리

HOTEL

광산을 비롯해, 국가 기반 시설을 국영화하자, 미국과 칠레 내 반동 세력들이 힘을 모았다. 미국 CIA는 피노체트 장군의 군사 쿠데타를 지원하고, 아옌데는 결국 군부에 의해 살해된다. 그가 남긴 마지막 말은 '칠레 인민 만세'였다. 카스트로는 그의 동상을 쿠바의 역대 대통령들과 함께 프레지단테 거리(Calle Presidente, 지금은 Calle G로 이름이 바뀌었다)에 세웠다.

그에 앞서 200년 전, 시몬 볼리바르는 라틴 아메리카 해방의 꿈을 꾸고 있었다. 그는 남미합중국의 탄생을 원했으나, 절반의 성공이었던 그란 콜롬비아(지금의 에콰도르, 콜롬비아, 베네수엘라 일대)를 만든 후 무덤에 들어가 눈을 감았다. 그의 꿈대로 남미가 통일됐다면, 남미 합중국이 탄생했다면 역사는 어떻게 바뀌었을까? 시몬 볼리바르의 이름을 딴 길을 따라 걷던 너는, 그러나 정작 중요한 약국을 발견하지 못했다. 너는 약국을 찾아야 한다.

발걸음을 돌려 차이나타운으로 들어갔다. 공자 동상을 발견했다. 교복을 입은 쿠바 아이들이 무심코 지나치는 동상이었지만, 너는 한눈에 알아본다. 그러나 느긋하게 관광이나 할 때가 아니다. 너는 사람들에게 '약국이 근처에 있나요'를 물어 댔으나, 모두가 '세비야 호텔에 가세요'라는 말만 하고 있다. 점점 지쳐간다.
세비야 호텔, 알 카포네가 운영했던 호텔, 대학 영문과 학생들을 괴롭힌 소설가 그래이햄 그린의 소설《아워 맨 인 하바나》의 배경이 됐다는 501호. 역사 깊은 호텔이었지만, 너는 기왕 로컬 약국을 찾기로 마음먹은 차에, 오기를 좀 더 부려 본다. 콜록거리며, 외롭게 거리를, 거리를 걷다가 바나나를 파는 청년을 만났다. 그에게 개당 1세우페씩, 바나나 5개를 구매했다. 너는 20세우페짜리 지폐를 건네고 잔돈은 필요 없다고 말하지만, 청년은 한사코 마다하며 15세우페를 거슬러 준다.

차이나타운에서 바다 쪽 방향으로 죽 내려온 너는 방향을 돌려 다시 올드 아바나 쪽으로 걸었다. 그때 머릿속에 뭔가 번쩍 떠올랐다. 그래, 올드 아바나의 오비스포 거리Calle Obispo! 그래, 오비스포에서 약국을 본 적이 있는 것 같다! 아바나에서 가장 오래된 거리다. 관광객들에게는 헤밍웨이가 거닐던 거리로 유명하다. 헤밍웨이가 자주 묵었던 암보스 문도스 호텔Ambos Mundos Hotel, 헤밍웨이가 자주 들렀던 펍, 라 보데기타 델 메디오La Bodeguitar Del Medio가 그곳에 있다. 아바나에 도착하면 모든 관광객들은 그 곳으로 몰린다.

점점 정신이 혼미해져 간다. 약국을 본 적이 있다는 것은 아무래도 너의 환상이었던 모양이다. 오비스포 거리를 처음부터 끝까지 훑었지만, 약국은 발견할 수 없었다. 어쩌면 너는 전혀 다른 곳에서 본 약국을 이곳에서 본 것으로 착각한 것 같다. 그런 생각을 하니 힘이 빠졌다. 태양이 강렬하게 내리쬐는 거리를, 감기에 걸린 채 먼지를 마셔 가며 온종일 걷는다는 것은 고행과 다름없다. 왜 그런 오기가 발동했는지 모르겠다. 사람은 가끔 이해할 수 없는 오기를 부린다.

그러나 모든 것을 완벽하게 포기하기 직전에, 길은 비로소 보이는 법이다. 문득 고개를 들어 보니 눈앞에 병원처럼 생긴 곳이 나타났다. 고개를 갸웃거리며 주변을 서성였다. 분명히 병원인 것 같았다. 건물 안에 앉아 있는 직원이 널 발견하고 웃으며 인사한다. 너는 손으로 목을 감싼 후 기침하는 시늉을 냈다. 그들은 너에게 들어오라는 손짓을 보낸다. 병원 체험도 나쁘지 않을 것 같았다. 건물에 들어서자 가운데 복도를 사이에 두고 양옆에 방이 있었다. 오른쪽이 원무실, 왼쪽이 진료실인 것 같았다. 직원은 너의 이름도 묻지 않고, 여권도 보여 달라고 하지 않는다. 여행자 보험이 있는지 여부도 확인하지 않았다. 그리고 잠시 후 의사가 있는 진료실에 들어가라고 손짓했다. 흰 가운을 입은 의사가 너를 반갑게 맞이한다. 말이 잘 통하지 않아, 역시 목을 부여잡고, 켁켁 거리는 시늉을 했다. 의사는 너의 입안을 살피고, 청진기를 몸에 댔다. 그 다음은 문진.

그런데 당연히 문진이 가능할 리가 없었다. 의사는 금세 문진을 포기하고 처방전을 쓴 후 네게 주의해야 할 사안들을 온몸을 이용해 설명해 줬다. 너는 몇 마디는 알아듣는다. 뜨거운 물을 많이 마시라! 에어컨을 끄고 생활하라!

처방전을 받아 드니, 의사는 방긋 웃으며 진료가 끝났다는 신호를 보냈다. 드디어 너는 병원 직원에게 드디어 약국의 위치를 물을 수 있게 됐다.
병원을 나오는데 돈을 달라는 말을 아무도 안 한다. 모두가 '잘 가라'는 말뿐..

거미줄 같은 올드 아바나에서 길을 잃지 않고 곧바로 약국을 찾아 갈 수 있게 될 것이다. 처방전을 내밀고 당당히 너의 증상에 맞는 약을 달라고 요구할 수 있을 것이다. 직원이 알려 준 길을 따라 걸었다. 드디어 약국을 발견했다. 온몸은 땀으로 흠뻑 젖어 있었다. 두근거리는 마음을 진정시키고, 약국 안으로 들어간다.
약사 3명이 일제히 너를 쳐다본다. 3초간의 침묵. 너는 말없이 처방전을 내민다. 약사는 돋보기를 고쳐 쓰고 처방전을 들여다본다. 고개를 가로 젓는다.

"안타깝지만 이 약은 여기 없어요."

그럴 리가! 바로 이곳을 찾기 위해 너는 아바나 온 시내를 돌아다녔다. 어떻게 약이 없을 수 있다는 말인가. 단순한 감기약인데 말이다.

약사는 당황한 너의 표정을 인식한다. 그리고 천천히 너에게 말을 건다.

"약국이 하나 더 있긴 합니다. 여기에서 세 블록을 간 후에, 왼쪽으로 꺾어 두 블록을 더 가면 됩니다."

또다시 너는 오디세우스처럼 발걸음을 옮겨야만 한다. 약사가 말한 그곳에 당도했을 때 약국이 없다면? 만약 그 약국마저 오늘 문을 닫았다면? 불안한 생각이 엄습했다. 처방전에 쓰여 있는 것은 파라세타몰-500, 너에게 필요한 것은 단지 그것뿐이다. 그런데 너는 과연 약을 구할 수 있을까?

PARTNER

바다 가까운 곳에 담배꽁초가 많은 것은 당연한 일이다. 끝이 안 보이는 푸른 바다를 보며 담배 한 대 빼어 무는 모습을 상상해 보자. 연기를 폐 깊숙이 집어넣었다가 꺼내면, 몸 안에 있던 다른 불순물들이 함께 날아가는 것 같은 기분이 들 것이다. 바다 가까운 곳에 깨진 술병들이 널브러져 있다는 것도 당연한 일이다. 바다를 보면서 맥주병을 기울이는 그런 일을 누가 마다하겠는가.

아메리카를 '발견'한 콜럼버스는 아메리카 사람들이 코와 입을 통해 하얀 연기를 내뿜는 것을 보고 기겁을 했다. 무당의 굿판, 악마의 주술이라고 믿었다. 그들은 인간이 아니었으므로, 혹은 아니어야 했으므로.

한 번도 보지 못한 제3의 생명체, 그들이 가진 독특하고 기괴한 습성이라고 생각했다. 유황 불을 내뿜는 지옥의 파수꾼을 생각했을지 모른다. 담배와 관련된 유럽인들의 첫 '발견'이었다.

여기 코와 입을 통해 하얀 연기를 내뿜는 현대인이 있다. 그를 바라보는 다른 인간들의 심성이 그럴 것이다. 그들에게 흡연자는 미개한 악마다. 정복하고 교화해야 할 대상이다. 심지어 사냥감이고, 처형감이다.

먼 옛날에도 스페인 사람들은 이 미개한 제3의 생명체를
속이고, 기만하고, 도륙했다.

"그들도 사실 인간입니다."

바르톨로메 데 라스 카사스Bartolomé de las Casas 신부가
교황청에 이런 내용의 보고서를 올리기 전까지 말이다.
500년 전 유럽인들은 과연 아메리카의 생명체를 인간으로
인정해야 할지 여부를 두고 토론을 벌여야 했다. 지금 여기
흡연자들에 대한 금욕주의자들의 태도 역시 마찬가지다.

쿠바에서의 길거리 산책은 언제나 즐거운 일이다.
길거리에서 제복을 입은 여자들이 아무렇지 않게 너에게
담뱃불을 빌린다. 태연하게 불을 붙이고 재잘대며
걸어간다. 그중 한 여자는 너를 의식하는지 자꾸 뒤를
돌아본다. 너도 담배를 하나 빼 물고 불을 붙인다. 예컨대
담배는 김치 같은 것이다. 지하철이나 버스 안에서 김치를
먹으면 사람들은 화를 낼 것이다. 사무실에서도 김치를

먹지 않는다. 그러나 그 외에서 김치 먹기는 광범위하게 허용된다. 집, 식당, 휴게실, 공원과 같은 야외에서 사람들은 김치를 먹을 수 있다. 김치를 먹는 사람은 다른 사람이 김치 냄새를 풍겨도 싫어하지 않는다. 김치를 먹지 않는 사람도 김치 냄새를 싫어하지 않는다. 그러나 지하철에서 풍기는 김치 냄새는 모두가 싫어한다. 그런 곳에서 김치 먹기는 법으로 금지돼 있지 않지만, 모두가 하지 말아야 할 행동이라고 생각한다. 쿠바에서 담배는 그런 것이다. 몇몇 장소만 피하면 어느 곳에서나 피울 수 있다. 주변 사람들은 담배 냄새를 용인해 준다. 우리나라 어디에서나 나는 김치 냄새처럼 말이다.

호텔 로비 곳곳에도 재떨이가 있다. 사람들은 여유롭게 담배 연기를 뿜어낸다. 사실 식당에서도 흡연은 대부분 가능하다. 몇몇 고급 식당을 제외하고 말이다. 흡연이 금지된 식당은 주로 외국인들을 대상으로 하는 곳이다. 담배를 판매하는 곳도 널려 있다. 식당에서도 바에서도 카페에서도 담배를 판다. 길거리에 앉은 노인들은 담뱃갑을 쌓아 두고 팔아 이윤을 남긴다. 길을 다니면 누구나 담배를 피우고 있는 모습을 본다. 나이 지긋한 할아버지들은 거무튀튀한 시가를 물고 흔들의자에 앉아 지나가는 사람들을 구경한다. 온종일 연기 속에서 지낸다. 일하던 인부들은 삼삼오오 그늘에 앉아 쉬며 연기를 만들어 낸다.

신대륙이 강제로 발견당한 이전부터, 담배는 이미 아메리카인들의 삶 속에 들어와 있었다. 담배라는 식물 자체가 아메리카산이다. 과거 그들은 담배를 잘 말린 후 불을 붙여 연기를 피워 냈고, 그것을 나눠 마시는 것으로 서로의 우정을 확인했다. 담배를 누군가에게 선물로 준다는 것은 강렬한 호감의 표시였다. 그들은 마주 앉아 담배 연기를 길고 풍성하게 뽑아냈다. 그리고 전쟁을 중단하고, 평화 협정을 맺었다. 그것은 하나의 의식이요, 제의였다. 하늘을 향해 올라가는 담배 연기에는 날숨이 실려 있다. 날숨에는 하늘에 있는 누군가에게 보낼 영혼 한 조각이 섞여 있다고 믿었다. 연기는 신과 인간의 매개였다.

정복자들은 도저히 이해할 수 없었다. 몇몇 호기심 어린 정복자는 아메리카인들과 맞담배를 피웠지만, 대부분 유럽인들은 그 행위를 두고 악마가 빙의한 것이라 믿었다. 담배가 그들의 영혼과 정신을 파괴한다고 믿었다. 따라서 담배를 피우는 아메리카인들의 영혼과 정신은 이미 파괴돼 있었다고 믿었다. 멍청하고, 이성적이지 못한 인간(이하의 어떤 것)으로 치부했다. 그래서 그들을 살육했다.
두 세계의 인간이 처음 만나게 된 위대한 사건은, 그렇게 어처구니없는 살육의 역사로 귀결된다. 마음은 그릇이다. 찌그러진 그릇에 담긴 물은 찌그러지기 마련이다. 돼지 눈엔 돼지만 보이고, 부처 눈엔 부처만 보이는 법. 영혼과 정신이 파괴된 것은 아메리카인들이 아니었다. 이 미개한 정복자들이 담배를 이해하는 데에는 한참의 시간이 필요했다.

정복자들이 마침내 담배를 이해하게 되자, 그것은 순식간에 돈벌이 수단이 됐다. 그들은 담배를 찧고, 이기고, 씹고, 말고, 잘랐다. 다양한 담배 제품을 만들어 냈다. 처음 정복자들은 입담배와 씹는 담배를 주로 이용했다. 그다음 담배를 잘게 찢어 종이에 말아 피우는 궐련이 나왔다. 말보로는 거기에 필터를 끼웠다. 경쟁자인 잎담배는 잎궐련으로, 시가로 진화해 나갔다. 1, 2차 세계대전은 담배를 떼 놓고 생각할 수 없다. 화약 냄새 자욱한 참호 속에서 연합군 병사는 소프트팩의 꼬깃한

럭키스트라이크를 철모에 끼워 놓고, 애인과 부모가 생각날 때마다 한 개비씩 빼어 물었다.

담배는 도전과 응전의 역사였다. 아마 인류 최초의 담배 혐오자로 기록될 콜럼버스의 후예들은 역사 속 언제나, 어디에서나 존재했다. 그들은 18세기부터 조직적인 '금욕운동'을 시행하고, 담배, 그리고 흡연자 말살 운동에 나섰다. 인류의 약 49% 정도는 여기에 해당되지 않을까 싶다. 이 49% 수치는 콘크리트, 고정 불변이다. 그들의 대항자, 반대편에 선 인류 역시 49% 정도로 존재한다. 그들은 담배를 전파하고, 만들고, 피우면서 금욕주의자들의 논리를 타파한다. 아메리카인의 후예와 콜럼버스의 후예, 누가 최후의 승자가 될까(나머지 인류의 2%는 선량한 무관심층으로 남겨 두자).

한때 담배 광고 모델은 의사들이었다. 콜럼버스의 후예들이 담배의 유해성을 설파하며, "건강을 위해 담배를 끊자"는 캠페인을 벌였을 때, 영악한 담배 회사는 의사들을 담배 광고 모델로 고용하는 것으로 맞불을 놓았다. 의사들은 "제가 피우는 카멜입니다. 어떠십니까. 건강에 전혀 해롭지 않습니다"라고 광고에 나섰다. 혹은 "의사들이 가장 선호하는 담배" 식의 카피들을 만들어 냈다.

담배는 상징이다. 2차 세계대전을 연합군의 승리로 이끈 처칠은 두툼한 시가를 입에서 떼 놓지 않았다. 체 게바라가 사진 기자 앞에서 피운 시가는 그를 라틴 아메리카의 제임스 딘으로 만들었다. 케네디 대통령은 쿠바 금수 조치에 앞서 참모들에게 '쿠바산 아체우프만(H. Upmann, 시가 브랜드의 한 종류)은 넉넉한가?'라고 물었고, 그렇다는 참모의 대답을 들은 후 경제 봉쇄를 최종 결정했다. 이런 일화들은 간혹 역사를 희화화하지만, 역사에 상상력을 불어넣어 주기도 한다. 강자가 만든 법의 이름으로 다른 인간에게 굴종을 강요하고 수십만 명의 난민과 아사자를 만든 비정한 금수조치 결단 배경에, 대통령의 금고에 넉넉히 쌓인 시가 다발을 삽입한다는 것은 무슨 음모론처럼 다가온다. 그러나 그것만큼 담배의 존재감을 극적으로 드러내 줄 만한 일화는 없다.

세상엔 담배보다 더 안 좋은 게 있다. 또 한 사람이 너에게 다가와 라이터 불을 빌린다. 눈앞에는 쥐라기 시대에나 있었음직한 시보레 올드카가 검은 연기를 내뿜고 지나간다. 담배 피우던 사내가 허공을 향해 손을 휘젓는다.

"담배 맛 버리겠네."

연기가 가시자 그는 담배를 다시 빨아들였다. 거리의 각종 공해는 담배 맛을 해한다. 그것은 담배보다 더 안 좋다. 이를테면 서울의 미세먼지와 스모그는 담배 맛을 해한다. 서울 공기가 더러워 담배를 못 피울 지경이라는 말이다. 담배가 인간을 파괴한다는 말을 하기 전에, 서울 시내의 차량 가스 배출 규정을 엄격하게 바꾸고 자동차 회사들에 압력을 가하자.

쿠바에서는 바닷바람을 맞으며 담배를 마음껏 피울 수 있다. 식당에서 담배를 들고 있는 사람들끼리는 눈빛만 교환해도 마음이 통한다. 과거 그들의 조상이 담배를 통해 신과 인간과 소통을 했던 것처럼 말이다. 담배 연기를 나누며 서로에 대한 진한 우정을 나눴던 것처럼 말이다. 아침 일찍 카페에 가서 담배 한 대를 물고 여유 있게 시집이라도 꺼내 읽는 맛은 쿠바에서나 느낄 수 있다. 출출하면 샌드위치와 크리스털 맥주 한 병을 시키자. 누구나, 어디에서나 담배를 피우고 잡담을 나눈다. 서울에서처럼 "당신은 이곳에서만 담배를 피우시오. 담배를 피우는 당신 앞에 테이블이 있으면 불법이오. 앉아서 담배를 피우는 것은 불법이오. 화사한 날 탁 트인 광장 한편에서 담배를 피우는 것은 엄벌에 처하겠소" 하는 말들을 듣기 어려운 곳이다. 몸을 통제하는 것, 행위를 통제하는 것, 그것이 바로 금욕주의자들의 파시즘이다. 쿠바에는 그런 파쇼는 없다. 금욕주의자가 활개 치는 나라는 죽은 나라다.

콜럼버스 후예들이 최근 한국에서 활개 친다고 들었다. 특히 관공서, 높으신 분들 중에 많다고 한다. 법을 고칠 수 있는 그분들에게 특별히 부탁한다. 담배가 싫으시면, 국민이 당신에게 권한을 부여했으니, 담배를 금지약물로 지정하고, 전국의 담배 밭을 갈아엎고(보상금 지원법도 함께 처리해야 할 것이다), 담배 회사를 폐쇄하고(외국 투자자의 소송에 직면할 것이다) 담배의 유입을 철저하게 금하시라. 그러면 당신들의 진정성을 인정하고 깨끗하게 담배를 끊어 드리겠다.

허리케인이 스치던 날

허리케인 경보가 신문 《그란마Granma》 1면에 난 날의 풍경이란 이런 식이다.

말레콘엔 파도가 높게 일고, 인간이 획정한 경계를 넘어 차갑고 하얀 가루를 뿌려 댄다. 아이들은 위태한 방파제 위에 서서 다이빙을 시도한다. 누구도 그 아이들의 생명을 걱정하지 않는다. 아이들 스스로 자신의 몸을 파도에 맡기는 이곳, 이 모든 것이 아바나에서 볼 수 있는 풍경이다.

낮게 나는 수리의 배꼽을 바라본다. 바람에 몸을 맡기는 저 수리들은 아무것도 하지 않고 날개를 펴고 있는 것 같으나, 가만 보면 날개에 붙은 근육을 파르르 떨고 있다. 안간힘을 쓰며 바람을 붙잡고 몸을 내맡기고 있는 것이다. 지나치기 쉬운 풍경 속에 작은 꽃 한 송이 솟아 있는 것처럼. 손톱만 한 해마도 단단한 뿔이 있다.

맨발로 세상에 뛰어들 수 있는 유일한 일은 바다 수영이다. 파도는 더 거세지고, 태양은 더 강렬해진다. 쿠바 땅 저 아래, 그란마Granma 주 지역을 지나는 허리케인의 부스러기 같은 바람이 아바나에 뿌려지는 날, 어른들이 쳐 놓은 금도의 벽을 기어오르는 것처럼 짜릿한 일은 없다. 열두 서너 살이나 됐을까. 아이들이 맨발로 높은 파도 아래 하나둘 몰려오는데, 그중 한 아이가 대장처럼 선두에 서서 방파제를 기어오르고, 나머지 아이들도 키득거리며 그의 뒤를 따른다. 결국 선두에 선 아이는 바닷속으로, 파도

속으로 뛰어들고 만다. 하얀 포말 속에서 그 아이는 자신의 키보다 높은 파도를 타며 출렁거린다.

누군가의 신고로 경찰이 해변을 찾아왔다. 경적을 울려 대다가 거만하게 차 문을 열고 느릿느릿 나온다. 아이들은 눈치를 보다가 결국, 하나둘 해변으로 돌아온다. 죄인처럼. 미처 물맛을 보지도 못한 아이들은 입맛을 다시면서 터덜터덜 걸어온다. 그런데 표정에 장난기가 가득한 게 예사롭지 않아 보인다. 선글라스를 낀 경찰은 거들먹거리며 걸어온다. 작은 승리감에 도출돼, 마치 파리 떼를 쫓아 버리듯, 그렇게 단단한 제복과 빛나는 견장에 어울리는 어른의 권한을 행사한 후 떠난다. 아이들은 다시 모여들기 시작한다.

이번엔 더 대담하다. 아이들은 방파제도 없는 바다에 하나둘 풍덩 풍덩 뛰어내린다. 누구도 '위험해'라고 외치지 않는다. 키를 훌쩍 넘기는 파도가 닥쳐오면 더 신이 난다. 저 멀리 대서양까지 헤엄쳐 나가려는 듯, 위태한 자맥질을 해 댄다.

허리케인이 남부 지방을 지나가는 날, 아바나엔 뜨거운 태양 아래 성난 파도가 넘실댄다. 태양이 없었더라면, 아이들은 폭풍우의 공포를 잊고 바다에 뛰어들 수 있었을까? 사나운 파도라도 태양 아래서라면 괜찮은 것일까? 아이들은 알고 있는 것이다. 파도가 자기편이라는 걸. 멀리 떠내려갈 일은 없다는 걸. 저 멀리 헤엄쳐 갔던 아이들이 파도에 휩쓸려 해변으로 돌아오고 있다. 그래서 아이들은 안심하고 바닷속으로 뛰어든다. 내일도 아이들은 스쳐 가는 허리케인을 기다릴 것이다.

재미있는 것은 아바나 곳곳에 라이터 충전소가 있다는 점이다.
한 번 충전하는 데 2세우페(약 100원) 정도다. 라이터가 귀한 만큼, 버리지도 않는다. 충전은 물론 수리도 가능하다. 일회용 라이터 함부로 버리지 말라. 너는 한 번이라도 그렇게 누군가의 허파를 뜨겁게 덥혀 준 적이 있는가. 짧은 머리 희끗한 노인이 가로 세로 40센티미터짜리 작은 탁자를 다리 사이에 끼고 앉아 있다. 손짓이 분주하다. 손님이 라이터를 하나 건넨다. 가스가

다 떨어졌다. 노인은 라이터의 꽁무니에 얇은 젓가락 같은 것을 꼽더니 푸쉭 푸쉭 남은 가스를 다 뽑아낸다. 그리고 가스통을 집어 들고 가스통 입과 꽁무니를 마주 댄 후 팔뚝에 힘줄이 튀어나오도록 박치기를 시킨다. 가스가 다 찼나 싶지만, 노인은 멈추지 않고 마지막 한 방울까지 가스를 주입한다. 그리고 라이터를 건넨 후 받은 돈을 탁자 위에 뿌려 놓는다.

또 다른 사람은 부싯돌이 다 닳았다. 조심스레 철제로 된 커버를 벗기고 부싯돌을 켜는 둥근 돌을 꺼낸다. 스프링이 튀어나오자, 그 끝에 붙어 있는 다 닳은 부싯돌을 털어 낸다. 그리고 스프링을 집어넣은 후 부싯돌을 끼우고 다시 둥근 돌을 끼워 넣었다. 능숙한 솜씨다. 두어 번 불을 붙인 후 손님에게 넘기고 돈을 받는다. 가스를 눌러 뽑아내는 플라스틱 지지대가 망가졌다면, 가지고 있는 새 부품으로 갈아 끼운다. 없는 부품이 없다. 웬만한 라이터 종류에 맞는 온갖 부품들이 작은 테이블 위에 어지럽게 놓여 있다.

너는 가스가 떨어진 라이터를 내밀었다. 노인이 흘낏 쳐다본 후 바로 작업을 시작한다. 노인의 테이블 위에는 수리가 완료된 라이터들도 있다.

"이것은 파는 겁니다."

노인이 말했다. 아마도 수많은 라이터들의 부품을 가져다 새로 조립한 것도 있으리라. 이를테면 이 노인은 라이터 공장이다. 버려진 어떤 작은 라이터라도 쓸모 있는 부품들은 있다. 그런 부품들이 모여 새로운 라이터가 탄생한다. 일종의 모자이크다. 낮에는 라이터를 고치고, 밤에는 이미 수집해 놓은 고장 난 라이터에서 쓸모 있는 장기들을 뽑아 새 라이터를 제조할 것이다. 그리고 이튿날 라이터가 필요한 너와 같은 사람에게 팔 것이다.

빨간 바탕에 야자수가 그려져 있는 라이터가 눈에 들어온다. 야자수 옆에 예쁜 글씨로 쿠바라는 글씨가 쓰여 있다. 터보 라이터다.

"얼마입니까."

"30세우페요."

너는 2세우세를 건넨다.

"잔돈은 됐습니다."

노인은 잠깐 너를 흘긴다. 주머니를 뒤적이더니 10세우페를 거슬러 준다.

"잔돈은 됐다니까요."

노인은 별 희한한 놈 다 본다는 듯 굳이 10세우페짜리 꼬깃한 지폐를 네게 쥐어 준다. 방금 라이터를 고쳤는데,

새 라이터를 사는 네가 희한해 보였을까? 이미 하나
있는데 또 하나를 사는 이상한 사람이 됐다.

많은 사람들이 궁금해 하는 것은 그런 것일 터이다.
라이터 고쳐서 하루 수입은 얼마인가요. 생계가
가능한가요. 미국과 국교를 정상화하면 라이터 수입도
늘어날까요. 그러면 직업이 없어지는 건가요. 이 직업은
얼마나 버틸 수 있을까요. 세금은 얼마를 떼나요.
더 나은 직업을 찾지 그랬어요. 하필 라이터 수리공인가요.

라이터를 묵묵히 수리하고 있는 사람 앞에서 그것은
무례한 의문들이다.

라이터 공장이 없어서, 물자가 부족해서 생겨난 '기현상'으로 치부하기에도 좀 그렇다. 선글라스를 끼고 피어싱을 한 멋쟁이 젊은 청년이 너에게 말을 붙인다.

"어때 저 아저씨, 신기하지? 저 아저씨 손에 들어간 라이터는 어떤 것이라도 새것처럼 바뀌지."

조롱인지, 진심인지 알 길이 없다. '너와 같은 관광객들은 항상 라이터 수리공들을 보면 신기해하지'라고 말하는 투다. 너는 그냥 씩 웃어 보인다. 서울 시내에 버스 차장 아가씨가 사라지고, 공중전화 박스가 사라지듯, 아바나 시내 곳곳에 있는 늙은 라이터 수리공들도 언젠가 사라지겠지. 그리고 사람들은 그런 수리공이 있었는지 기억조차 못하게 되겠지. 아바나 근교에 라이터 공장이 들어서고 쌩쌩 돌아가면, 은퇴한 노인은 '내가 라이터 수리해서 너희들을 키웠다'고 자식들 앞에서 무용담처럼 옛 이야기를 늘어놓겠지.

SE RELLENAN
FOSFORERAS

아바나에서 라이터 수리공을 보고 '이곳에 라이터 공장을 차리면 대박 나겠다'고 생각할 사업가 몇 명만 있으면, 아바나의 라이터 수리공은 자신의 생을 책임진 낡은 라이터 수술대, 그리고 만들다 만 라이터 몇 개를 안고 시스템의 뒷방으로 끌려갈 것이다. 아바나 길거리에서 그들은 감쪽같이 사라질 것이다. 이 얼마나 아름다운 일인가!

이어폰

네 이어폰이 갑자기 먹통이 됐다.

길에서 다른 사람과 스쳤는데, 이어폰 줄이 그 사람이 메고 있던 가방에 걸렸다. 귀에서 작은 스피커가 툭 하고 빠져나갔다. 서둘러 수습을 하고 음악을 다시 재생하니 한쪽 스피커가 전혀 들리지 않는다. 난감하다.

이어폰 줄은 매우 약하다. 소중히 다루지 않으면 안 된다. 이어폰을 귀에 끼우고 걷거나, 버스를 타는 행위는 이어폰을 기어이 망가뜨리겠다는 행위나 다름없다. 그게 아니면 설명이 안 된다. 이어폰 잭 연결 부위는 특히 약하다. 이미 고안 단계에서 망가지도록 돼 있다. 빨대를 가지고 잭 연결 부위의 약점을 보완하기 위해 지지대를 만드는 이들도 있지만, 헛일이다. 이어폰 제조회사는 그럴수록 잭 연결 부위를 더욱 약하게 만들 것이다. 이 부분이 망가지지 않게 하기 위해서라면, 집 밖에서 이어폰을 사용하지 말아야 한다. 귀에 이어폰을 꽂고 절대 움직이면 안 된다. 왜 이어폰을 밖에 가지고 나가나. 집에서 꼼짝 말고 앉아 귀에 끼우고 음악을 감상하라.

줄이 조금만 두꺼워도 될 텐데, 잭 연결 부위를 강고한 고무로 마감하면 될 것 같은데, 이어폰 제조 회사는 절대 그렇게 하지 않는다. 얇은 선, 약한 이음새를 고수한다. 더 약하게 만든다. 그리고 그것을 수만 원에서 수십만 원에 판다. 이어폰을 들고 나대지 말라는 경고문 하나 없다.

외출 시 듣고 다니라는 목적으로 만들어진 이어폰은 왜 이렇게 약하게 만들어졌는가. 집 안에서 왜 이어폰을 쓰겠는가.

이유는 단순하다. 일부러 망가지도록 만든 것이다. 그래야 이어폰 공장이 돌아가니까. 마트에 가 보면, 플라스틱 용기에 든 세제가 비닐팩 세제보다 더 싸게 팔리는 장면을 자주 목격할 수 있다. 비닐팩 세제를 만든 목적은 플라스틱 용기를 재활용하라는 것일 텐데, 정작 플라스틱 용기에 담긴 세제가 더 싸고, 다루기도 편하다는 것은 아이러니다. 면도날은 약 3000회 정도 턱을 긁은 후에 망가지게 돼 있도록 이미 설계돼 있다. 면도날을 강화하는 방법은 많다고 한다. 면도날을 1만 번 정도 사용할 수 있도록 만들 수도 있는데, 그렇게 만들지 않는다. 면도날 하나로 1년을 쓰면, 면도기 회사는 망하기 때문이다. 회사가 망하면 면도기 공장 직원들은 일자리를 잃는다.

스마트폰 액정 유리가 공장에서 태어난 유일한 목적은 깨지기 위해서다. 화면을 크고 더 얇게 만드는 기술은 너를 위한 게 아니다. 그것은 빨리 깨지고, 빨리 망가져야 새 스마트폰을 생산 중인 제조사를 만족시킬 수 있다. "예전에는 핸드폰을 사면 3~4년을 썼는데, 요새는 1~2년 쓰면 망가져 버려"라고 푸념해 봐야 소용없다. 그것은 일부러 약하게 만들어진다.

가죽 구두 밑창이 너덜너덜해진다. 물이 새기 시작한다. 밑창을 다 갈아야 하는데 만만치 않은 비용이 든다. 가죽은 조금 낡았지만 멀쩡하다. 5년 넘게 네 발 모양에 길들여진 가죽에 너는 편안함을 느끼겠지만, 주변에서는 '고치느니 새로 하나 사라'는 말을 하기 일쑤다. 너는 가죽을 버리고 새 구두를 산다. 그리고 좋아한다. 구두 밑창은 빨리 닳는 것이 목적이다.

정수기에 얼음이 나오는 집을 찾은 아이가, '엄마 우리 집은?'이라고 말한다. 불과 몇 년 전만 해도 보리차를 끓여 마시며 행복하게 살던 식구들은 마법처럼 물을 정수해 주고, 언제나 시원한 상태를 유지시켜 주는 정수기를 들여놓았지만 만족할 수 없다. 왜 우리 집 정수기는 얼음이 나오지 않을까.

행주 광고는 '아니, 그릇 닦던 행주로 싱크대까지 닦아요?'라며 시청자를 구박한다. 그리고 편하게 뜯어 쓰는 일회용 행주를 권한다. 그릇 행주, 싱크대 행주, 테이블 행주, 화장실 행주(아, 화장실은 행주가 필요하지 않구나)를 별도로 두려면, 두루마리 행주를 매번 사야 한다. 광고에서 그러라고 명령하니까. 건조한 집에 가습기를 뒀는데, 어느 날부터 가습기 살균제라는 것이 티브이 광고에 등장한다. 가습기 없이 지낸 세월이 20년이다. 이제는 가습기에, 살균제까지 따로 구비해야 한다. 그리고 가습기 살균제를 팔던 기업은 살인자가 된다. 그러나 기업은 굴하지 않는다. 이 순간에도 인간의 모든 행위는 기업에 의해 세분화되고, 세분화된 행위에 맞는 물품들이 쪼개져 나온다. 끊임없이 사고, 버리고 바꿔야 한다.

석유를 퍼 올려야 한다. 그 석유를 때야 한다. 그리고 전기를 생산해야 한다. 공장을 돌려야 하니까. 상품을 만들어 팔아야 한다. 소비자는 노동자다. 월급을 받아 상품을 사야 한다. 그 월급을 위해 공장을 돌려야 한다. 전기를 생산해야 한다. 그러려면 석유를 때야 한다. 결국 석유를 퍼 올려야 한다.

그러니까, 저 쿠바의 라이터 수리공은 이 세계의 암적인 존재다. 감히 일회용 라이터를 고쳐서 쓰다니.

세상이 돌아가는 법칙이다. 붐비는 아바나 비에하 거리로, 가냘프게 고안된 이어폰을 들고 간 너의 행위 자체가 이어폰 제조사의 목적에 부합하는 행위였던 것이다. 그들은 절대로 튼튼한 물건을 만들지 않는다. 지구를 모조리, 남김없이 사용해 버릴 때까지.

INFORMACION
A LOS CLIENTES
GRACIAS
PARACION
ESPEJU LOS

TACHYMETER
EBEL
POR FAVOR LOS RELOJES
AUTOMATICOS Y ANALOGICOS QUE SE
RECEPCIONAN TIENEN UN TERMINO DE
QUINCE DIAS PARA RECOGERLOS.
PASADO ESTE TIEMPO PIERDE
DERECHO A RECLAMACION.
SOMOS CUENTAPROPISTAS GRACIAS

마트와 쇼핑몰

숙소를 옮겼다.

한쿠바교류협회 정호현 실장님과 얀켈 씨의 도움으로 아브나다 프리메라 12-B번지에 있는 아파트 3층에 입주했다. 경치가 매우 좋다. 침실 창문을 열면 짙푸른 바다가 보인다. 베란다를 통째로 쓸 수 있다. 저 바다를 건너면 아마도 플로리다가 나올 것이다. 네가 숙소를 옮긴 목적은 딱 하나였다. 바다가 보이는 곳에서 묵고 싶었다. 답답한 도시에서 생활하려면 이런 정도의 여유는 따로 챙겨 둬야 한다.

너는 오늘 마트와 쇼핑몰을 탐험하기로 한다. 짐을 풀고 땀을 식힌 후 5번가 42번길에 있는 마트로 출발했다. 네가 찾은 마트 이름 자체가 '5ta y 42'다. 주소가 이름이다. 숙소 근처에 있는 또 다른 마트도 거대한 간판을 달고 있다. '1ra y 28', 말 그대로 1번가 28번길에 있는 마트라는 의미다. 주소 자체가 마트의 이름이라는 것은 재밌는 일이다. 무슨 무슨 마트니 하는 기업 이름을 붙일 이유가 없다. 국영 마트들이기 때문이다. 마트뿐이 아니다. 아바나 시내 곳곳의 국영 상점은 대개 주소를 이름으로 갖고 있다. 주유소도 마찬가지다. 생필품을 살 수 있는 곳의 상점 이름은 주소다. 부르기 쉽고, 찾기 쉽게 돼 있는 셈이다. 마트에는 주로 잉여의 물건들이 많다. 더 편리한 물건, 더 가지고 싶은 물건을 주로 판다. 그래서 마트에는 빵이 없다. 술, 캔 음식, 소스, 고기를 팔긴 하지만 빵과 과일, 야채는 팔지 않는다. 빵은 모두에게 필요한 것이기 때문이다.

또한 모든 쿠바인이 마트에서 쇼핑을 할 수는 없다. 특히 달러 부업이 없는 쿠바인들은 이런 마트를 이용하기 어려울 것이다. 그래서 마트는 대부분 도시 사람들의 것이다. 달러가 소비되는 곳에서만 대형 마트를 볼 수 있다.

'5ta y 42'는 물건들이 꽤 많은 곳이다. 복합 쇼핑몰이다. 식료품 가게는 물론이고, 가구점, 전자제품점, 옷가게, 생활용품점, 향수 가게, 미용 가게가 들어서 있다. 일종의 '남성용품(?)'인 톱, 드릴, 각종 공구 전문점도 있다. 2층에는 아디다스를 비롯한 일부 유명 스포츠 브랜드까지도 입점해 있다. 마트에 들어가기 위해서는 가방을 맡겨야 한다. 도난을 우려한 조치인 것 같았다.

너는 전자제품 파는 곳에 가장 먼저 들어갔다. 각종 에어컨, 전자레인지, 가스레인지, 티브이, 디브이디 플레이어, 오디오, 세탁기 등이 진열돼 있는데, 가격은 한국과 거의 비슷하거나 더 비싸다. 캐리어 브랜드의 작은 벽걸이 에어컨이 우리 돈으로 약 30~50만 원가량 한다. 대형 티브이는 우리 돈 200만 원까지 가는 것도 있다. 인기 품목인 오디오(쿠바 사람들은 정말 음악을 사랑한다) 역시 수십만 원이다. 세탁기나 가스레인지의 경우도 50~100만 원을 가볍게 넘긴다. 가구를 살펴봤는데, 역시 비싸다.

1ra y 28
1ra y 28

평범한 식탁에 붙어 있는 태그에는 우리 돈 30만 원이 넘는 가격이 적혀 있다. 이런 것을 누가 사들일까. 아디다스 매장에서 본 운동화의 가격도 대부분 10만 원에서 왔다 갔다 한다.

외국의 친척으로부터 송금받은 돈으로 삶을 꾸리는 쿠바인들이 꽤 많다. 우스갯소리로 쿠바의 경제를 지탱하는 3개의 축이 있다고 하는데, 첫째 수많은 국영 기업을 갖고 배급 시스템을 운영하는 국가, 둘째 달러를 벌어들이는 관광 산업, 그리고 셋째, 외국에 살고 있는 친척들이라고 한다. 이중 경제, 특히 규모가 큰돈이 왔다 갔다 하는 구름 속 경제(그레이 마켓)에서는 그들만을 위한 소비품, 잉여의 상품들이 거래되는 시장이 생길 수밖에 없다. 물론 에어컨을 가졌다고 부자는 아니다. 남들보다 더 시원한 여름을 보낼 수 있다는 것, 그뿐이다.

갖고 싶지만 갖지 않아도 되는 물건들을 파는 곳은 점점 늘어날 것이다. 재미있는 점은 그런 시장 자체도 국가가 운영한다는 것이다. 전자제품이나 자동차 딜러들이 물건을 들여오면 국가는 중간 유통업자가 돼 그것을 사들여 마트를 운영한다. 그리고 여윳돈이 있는 쿠바 사람들에게 팔아 이윤을 챙긴다. 그 돈은 국가의 운영 자금으로 들어갈 것이다. 일종의 부의 재분배 시스템이라고도 볼 수도 있다. 한국과 같은 자본주의 국가 시스템에서는 상상할 수 없는 일이다. 혹자는 이런 마트에서 단순히 빈부의 격차를 느끼겠지만, 너는 그 시스템 속에서 쿠바의 경제가 돌아가는 모습을 본다.

쿠바 정부를 상대로 세일을 하는 사람들을 몇 명 만나 본 적이 있는데, 쿠바 정부는 매우 깐깐하다고 한다. 딜러나 세일 회사가 중간에 이문을 너무 많이 남기면, 가차 없이 사업권을 빼앗기고 추방된다. 대기업의 직접 영업 자체도 어렵다. 일부 외국계 대기업은 직접 영업에 가까운 형태로 쿠바에서 이익을 거두지만, 이는 서로 간의 신뢰를 바탕으로 이뤄진다. 신뢰를 배반한 외국계 기업이나 사업가들에게 쿠바는 단호하다. 물론 그들 역시 많은 세금을 쿠바 정부에 내야 한다. 외국계 호텔

체인이 쿠바에서 영업하고 있다고 해서, 그들이 멕시코나 니카라과에 투자해 걷어 갈 수 있는 규모의 수익을 쿠바에서 바랄 수는 없는 일이다. 국가는 쿠바 경제의 큰손이다.

갖지 않아도 될 것을 파는 곳은 아바나 시내 곳곳에 생겨나고 있다. 그 와중에 센트로 아바나에서 네가 발견한 것은 쇼윈도였다. 뉴욕 센트럴 파크 근처 5번가 명품 거리의 쇼윈도가 하나의 값비싼 예술 작품으로 사람들의 관심을 모은다면, 아바나의 쇼윈도는 심플하고 더럽다. 전혀 매력적이지도 않고, 일부러 누군가 와서 들여다보지도 않을 것이다.

뉴욕, 맨해튼 5번가. 전 세계의 돈이 모이는 뉴욕의 백화점은 족히 1만 달러는 돼 보이는 말쑥한 수트를 입은 멋쟁이들에게 현실적인 공간이지만, 너와 같은 허름한 여행족들에겐 환상의 공간이다. 네가 과연 저 쇼윈도 속 수만 달러짜리 고딕 스타일 명품 옷과 커다란 보석을 걸친 마네킹을 쳐다볼 자격이 있는 것일까? 너는 너도 모르게 자문한다. 유리를 가운데 둔 저 쇼윈도 속 세상과 두 다리로 몸뚱이를 지탱하는 너의 세상은 다른 세계다. 저 유리는 이를테면, 장정일의 시 〈20밀리〉에 나오는 20밀리미터짜리 도시 가운데 세워진 거대한 칸막이와 같은 것이다. 자본주의의 헌법 같은 저 유리문은 누구나 사용할 수 있음에도 불구하고 너는 통행 불가능한 칸막이로 착각한다. 너는 누구나 사용할 수 있는 문을 사용하지 않은 죄를 짓는다. 그리고 고개를 숙인다. 너는 왜 백화점에서 명품을 안 사는 거야? 보라고. 누구나 살 수 있도록 돼 있잖아. 그런데 넌, 왜 저 커다란 보석과 명품 옷을 사지 않는 거냐고. 말을 좀 해 봐. 네겐 자유가 있어. 롤렉스 시계를 구매할 수 있는 자유가 있고, 아우디 자동차를 구매할 수 있는 자유가 있단 말이다. 최고급 프랑스 레스토랑에서 식사를 할 수 있는 자유가 있어. 그런데 넌 왜 자유를 향유하지 않는 거지? 대답 좀 해 봐.

아바나의 쇼윈도에는 마네킹이 없다. 모자 하나, 티셔츠 하나, 구두 한 켤레가 아무렇게나 놓여 있다. 아마 쇼윈도의 개념을 말 그대로 정직하게 이해해 버린 운영자의 작품일 것이다. 사람들은 쇼윈도 앞에 서서 그 쇼핑몰에서 뭘 파는지 알아차린다. 단지 그뿐이다. 자본주의 쇼윈도의 맥락을 가차 없이 거세한 저 정직한 쇼윈도가 왜인지 좋다. 너는 가능하면 더 무성의하게, 더 지저분하게 꾸며져 있길 바란다.

오늘, 목표한 쇼핑몰 탐험은 이렇게 끝이 났다. 지금 너에게 필요한 것은 바다가 보이는 멋진 풍경의 낡은 아파트 3층 베란다다. 바닷바람을 맞으며 아침 식사를 하고, 가끔 노트를 들고 나와 시원한 얼음 맥주 1병을 옆에 두고 글을 끼적일 수 있는 그런 곳이다. 뉴욕의 커피숍도, 서울의 레스토랑도 아닌, 그런 곳이 더 좋다.

못사는 나라?
군데군데 얼룩진, 다 떨어진 바지를 입고 골목길에서
축구나 야구에 열광하는 순박한 아이들을 떠올릴까?
그러나 너는 놀랄 것이다. 그들의 취향과 패션은 놀랍다.
쿠바 사람들의 몸은 타고났다. 잘생긴 얼굴에, 긴 팔과
다리를 흔들며 섬세한 근육을 뽐낸다. 이런 옷걸이에는
아무 옷이나 걸쳐도 멋이 생긴다. 깔끔함을 즐기는 쿠바
사람들은 또한 청결하기도 하다. 집안은 엉망진창이라도
주말 밤 외출할 때는 가장 깨끗하고 예쁜 옷을 차려입고,

향수를 뿌린다. 시간이 남아 있다면 네일숍이나 미용실을 들러 손톱과 머리를 손질한다. 쿠바 사람들은 모던을 꿈꾼다. 모던의 갈망, 그리고 새것을 향한 욕구.

살사, 재즈, 거리 공연, 복고풍의 패션? 우리는 대개 보고 싶은 것만 본다. 네가 가진 쿠바의 이미지를 해치지 않고 싶어 한다.

이를테면 이렇게 말 할 수 있다. 같은 여행지를 두 번째 방문하면 보통 너는 전에 갔던 그곳을 가 보고 싶어 한다. '전에 왔던 이곳이 그대로 있네?'라며 너는 감탄사를 내뱉고 평화로운 표정을 짓는다. 그리고 추억을 더듬는다. 새로운 경험, 새로운 곳을 찾지 않는다. 다만 과거에, 네가 새로운 것을 찾았을 때 떠올렸던 감정을 다시 새긴다.

너는 항상 새로운 곳으로 떠나길 원하는 것처럼 보이지만, 막상 새로운 곳에 도착하면 두려움을 느낀다. 그리고 여행을 마친 후 안락한 집에 돌아와 그곳에서의 시간을 되새기느라 삶을 소비한다. 그리고 다시 그곳에서 그 감정을 느끼고 싶다고 외친다. 여행하는 인간은 사실 보수적이다. 항상 새로 마주할 뭔가를 꿈꾸기보다, 두고 온 뭔가를 그리워하는 게 너다. 두고 오기 위해 떠난다. 너는 시간의 처음에 서 있는 존재가 아니라, 날마다 시간의 맨 끝에 서 있는 존재이기 때문이다.

그러나 네가 가진 쿠바의 이미지는 깨지게 된다. 그들은 낡지도, 순박하지도 않다. 젊은이들은 다른 세상을 산다. 그들에게 살사와 재즈는 지겨운 유물이다. 쿠바의 '앵그리 영맨'들은 목이 마르다. 어느 세상의 어느 젊은이들처럼 말이다. 밤이 되면 꼭 어디에선가 음악은 울려 퍼지게 돼 있다. 레게 리듬에서 앞부분을 길게 늘어뜨린 베이스 드럼 소리가 둔탁하다. 그러나 그루브함을 더한다. 오픈카의 오디오 스피커 볼륨이 올라간다.

"둥~ 딱딱, 둥~ 딱딱, 둥~ 딱딱."

얼핏 들으면 아프로 쿠반 음악의 핵심인 '클라베Clave' 리듬이 연상된다. 다른 남미 국가들을 여행한 적이 있는 너에게 꽤 익숙한 리듬이다. 정체는 레게톤Reggaeton이다.

레게톤은 2000년 초반부터 라틴 아메리카 전역에서 유행해 온 젊은이들의 최신 랩 음악이다. 미국에 힙합이 있다면 라틴 아메리카엔 레게톤이 있다. 레게 리듬에 헤비함과 그루브함을 더하고, 스페인어 랩을 집어넣었다. 라틴 아메리카 자생적 유행 음악이다. 뿌리는 남미의 다양한 전통 음악들에 두고 있다. 퇴폐적인 가사와 거친 욕설이 섞인 랩, 그리고 골반과 엉덩이를 이용한 끈적한 춤(단언컨대, 전 세계에서 가장 야한 춤이다)을 상징으로 하는 레게톤은 쿠바의 젊은이들을 그냥 두지 않았다. 가사와 춤, 그리고 욕설이 지나치게 퇴폐적이라는 쿠바 검열 당국의 지적에도, 쿠바의 젊은이들은 아랑곳하지 않는다.

남미의 레게톤 문화는 한국에 별로 소개되지 않았는데, 첫째, 아마도 한국인들 정서에 낯설고 시끄럽고 지나치게 단순한 스타일 때문일 것이고, 둘째, 점잖은 한국인들이 차마 낄 수 없는 그 퇴폐적인 클럽 문화 때문일 것이다. 부담스러운 육체의 향연은 '피지컬'적으로도 한국인들에게 거부감을 준다. 물론 레게톤을 좋아하는 사람들도 있겠다. 현지 친구와 함께라면 클럽을 한번 경험해 보는 것도 나쁘지 않으리라. 모든 사람들이 당신이 몸치라는 것(춤을 못 춘다는 게 아니다. 레게톤 스타일의 춤을 못 춘다는 것뿐이다. 당장 유튜브에 레게톤을 검색해 보라)을 이해해 주고 배려해 줄 테니까.

귀걸이를 한 젊은이들이 꽤 많다. 청바지를 주로 입는데 워싱이 꽤 세련됐다. 밝은 청색의 청바지를 선호한다. 선글라스는 아마도 햇빛 때문에 필수일 것이다. 옆구리가 과도하게 파여 가슴 근육과 갈비뼈가 다 드러나는 민소매 티셔츠도 핫한 아이템이다. 괜찮은 청바지는 약 30~50세우세 정도(약 4~6만 원). 민소매 티셔츠는 6~10세우세(약 7000~12000원)다. 백화점에서 파는 옷들은 조금 더 비쌀 수도 있겠다. 여기에 아마도 물 건너 왔을 각종 액세서리를 착용하고, 커다랗고 화려한 아디다스, 나이키 신발을 신는다. 옷을 갖췄다면 미용실에 가서 머리를 한다. 그리고 레게톤 파티에 간다. 어른들은 이들의 유행을 이해할 수 없다. 전 세계 공통이다. 그러나 이들이 쿠바의 미래를 꾸려 갈 것이다.

레게톤의 특징 중 하나는 화려한 패션이다. 1980년대 영국 펑크족 패션과 미국의 힙합 스타일이 결합된 느낌이다. 반항적인 비주얼을 만들어 낸다. 양옆 머리를 바짝 친 후 가운데 머리를 곧추세운다. 귀걸이, 메탈 시계, 목걸이, 그리고 타투는 기본이다. 젊은이들은 쿠바의 레게톤 스타들을 흉내 낸다. 그들을 경배하고, 그들의 행동을 따라 한다. 엘 욘키El Yonki나 로스 데시후알레스Los Desiguales 같은 스타들은 '쿠바톤Cubaton'의 트랜드를 이끌어 가는 뮤지션들이다. 이들은 라틴 아메리카 레게톤 신scene의 첨단에 있다. 지금, 여기 쿠바 도시 젊은이들의 스타일이 궁금하다면, 지하로 내려가 레게톤을 경험해 보라. 그들은 그들 방식의 자유와 혁명, 그리고 스타일을 꿈꾼다.

HM-34

LA BODEGUITA
DEL MEDIO

너는 너무 많은 욕망을 짊어지고 왔다.

너는 석유 시대가 종말을 고한 후의 삶을 상상할 수 있는가. 쿠바인들은 이미 한 번 겪었다. 너는 너의 몸에 새겨진 시간과 공간과 상식을 모두 버려야 한다. 아바나 시내 미술관 앞에서 만난 청년의 말을 인용해 본다.

> "진짜 쿠바를 알아? 너는 진짜 쿠바를 알 수 없을 거야. 네가 만나는 사람들은 뻔해. 택시 기사, 관광 가이드, 호텔 종업원, 식당 주인, 그들은 쿠바를

대표하지 않아. 다만 너희들과 비슷해지고 싶은
사람들일 뿐이야. 그런 사람들은 어느 나라에나
가도 있지. 진짜 쿠바를 알려면 진짜 쿠바인을
만나 봐."

사실 너는 다른 시스템을 이해할 수 없다. 쿠바인도 너를
이해할 수 없다. 너는 그냥 돈을 쓰다 가는 관광객이고,
너와 같은 사람들은 어디에서나 쿠바에 온다. 너는 쿠바를
'저개발국가'로 볼 것이다. 닭고기가 떨어지면 식당은
문을 닫고, 물이 떨어지면 편의점에선 물을 팔지 않는다.
네가 구하고 싶은 물건은 찾을 수가 없고, 전화도 인터넷도
불편하기 짝이 없다. 인터넷에 접속하기 위해 야심한 밤
호텔 주변을 서성이는 수많은 쿠바의 젊은이들의 얼굴에는
스마트폰이나 태블릿 피시의 불빛이 반사돼 있다.
진풍경이다.

그것을 너는 '저개발'과 '미개'라는 단어로 설명하려 한다.
너의 기준에 흡족하지 못할 경우 너는 언제나 그런 식으로

반응했다. 한국의 유력한 정치인이 지리산 노고단에 올라 한마디 했다고 한다. "여기는 개발이 덜 됐네."

인터넷을 하기 위해 젊은이들이 몰려 있는 호텔 주변의 풍경도 너는 이국적이라 생각하고 셔터를 눌러 댄다. 매우 너답게, 네가 속한 세상답게 풍경을 소비하는 너.

이를테면 너와 쿠바는 사람과 나무다. 같은 공기를 마시지만 너는 산소를 마시고, 나무는 이산화탄소를 마신다. 왜 이산화탄소를 마시느냐고 나무에게 묻지 않는다. 같은 대기 속에 존재하지만, 다른 삶을 살고 있는, 못사는 것도 아니고, 불쌍할 것도 없는 그냥 그들은 나무 같은 존재다. 물론 그들에겐 네가 나무와 같은 존재다. 네 욕망이 과도한 것이라는 생각을 해 본 적은 없나?

이를테면, 어느 날 석유는 고갈된다. 이 자명해 보이는 사실 앞에서 너는 꽤 여유롭다. 석유를 대체할 에너지를 개발할 것이라고, 우리는 할 수 있다고, 언제나 그랬듯이

답을 찾아낼 것이라고. 막연한 기대를 가지고 있지만, 70억 명을 먹여 살릴 에너지는 더 이상 찾기 어렵다. 너는 70억 명 중에서 대충 50억 명 정도를 밟고 서 있는 것인데, 그에 대한 죄책감은 없다. 네가 누리는 것은 당연한 것이니까. 너는 나머지 20억 명 중에서도 최종 승자가 되리라 믿어 의심치 않는다. 의심하지 않는다는 것은 편리한 일이다.

석유가 고갈될 때, 우리는 석유 없이 사는 법을 배워야 한다. 세상이 멈춘 그때, 사람들은 쿠바를 연구할 것이다. 지구상에서 유일하게 다르게 사는 법을 익혀 본 사람들이기 때문이다. 물론 완벽하진 않지만. 그들은 유기농법을 개발했고, 태양열 발전기를 보급하려는 노력을 했고, 부족한 약품을 만들어 냈다. 결핍은 창조의 어머니다. 그들은 결핍이 있는 곳에 예방을 최선으로 했다. 나쁜 일이 벌어지지 않게 하는 방법을 시스템화했다. 뉴올리언스나 뉴욕에 허리케인이 닥쳐 수천 명의 생명이 희생됐을 때에도, 쿠바에서 들려온다는 부고의 수준은 신문의 귀퉁이도 차지하지 못할 정도였다. 결핍과 가난에 시달리지만, 그들의 평균 수명은 세계 최고 수준이고, 노인들의 건강도 세계 최고 수준이다(담배의 천국임에도 불구하고)!

인류의 디스토피아 중에서도 가장 모범적인 디스토피아는 바로 쿠바일 것이다. 그들은 안락과 풍요로움보다는, 지속가능함을 최우선으로 놓는다. 물론 그들이 의도한 것은 아니다.

2008년 쿠바를 방문했다. 그리고 미국과 수교가 이뤄지고, 개혁 조치가 연이어 발표되는 2015년 다시 쿠바를 찾았다. 쿠바의 미래는 어떨까. 아마도 그것은 자본주의의 미래도, 사회주의의 미래도 아닐 것이다. 쿠바의 지금 모습은 어쩌면 지구 행성을 지배하고 있는 보편적 인류의 미래일 수 있다. 미래에서 온 화석이라고 할까?

인류 문명은 유한한 자원의 토대 아래에 세워져 있다. 20만 년 인류의 역사에서 지금 우리가 사는 모습은 18세기 산업혁명 이후 약 250년 정도 유지되고 있을 뿐이다. 인류가 석유를 파내기 시작한 게 19세기 중반이다. 160년가량 석유를 마음껏 뽑아 쓰고 있다. 그런데 우리가 다음 100년, 그다음 100년을 예상할 수 있을까? 다만 단서를 하나 제시한다. 쿠바 전문가인 일본의 요시다 타로 씨가 쓴 책, 《몰락 선진국, 쿠바가 옳았다》 가운데 일부를 인용한다.

"현재의 공업 사회가 너덜너덜 무너지고
자유무역도 붕괴하기 시작하는 일은 피할 수 없다.
사람들은 부드럽게 몰락해야 한다."

세계가 몰락한다니. 거리에는 물건이 넘쳐나고, 전깃불이 밤을 밝히고 있는 세상에, 세계가 몰락할 수 있다니. 몰락은 '하강'을 의미한다. 품격 있는 몰락, 품격 있는 탈석유는 미래 인류의 필연적 과제가 될 것이다. 몰락에 있어서만큼은 지구상에서 쿠바를 따라올 나라가 없을 것이다. 만약 3차 세계대전이 발발한다면, 4차 세계대전에서 사용될 무기는 돌도끼일 것이다.

우리는, 우리 세대가 아니더라도 언제나 몰락을 대비해야 할 것이다. 지금 당장 전기를 끊고 자전거를 타자는 말이 아니다. 부드러운 몰락은 부드럽게 찾아온다. 제트기는 고공비행을 한다. 빠르게 가면 갈수록 속도는 더 빨라진다. 양력 때문이다. 속도를 낮추면 양력이 떨어지면서 추락한다. 엔진이 멈추면 끝이다. 복엽기는 느리다.

그러나 추락하지 않는다. 엔진이 멈추고 날개에 구멍이 나더라도 조종을 잘하면 바람을 타고 착륙을 할 수 있다. 요시다 씨는 "마르크스와 로스토의 예상과 달리 공업 사회의 뒤에는 농업 사회로 돌아갈 수밖에 없다고 하는 '몰락사관'이 서지 않을 수 없"다고 한다. 풍요로운 몰락.

그는 이런 '부드러운 몰락'의 모습을 쿠바에서 발견한 것 같다. 교육, 복지, 농업 등 사회 시스템이 추구하는 (어쩌면 의도한 것이 아니라 불가피하게 선택했던) 지속가능성을 위한 노력들을 살펴볼 필요가 있다. 다시 말하지만, 쿠바는 못사는 나라가 아니다. 우리와 완전히 다른 세계다. 이 전제를 이해하지 못한다면, 쿠바 여행보다는 다른 여행지를 추천한다. 먹을 게 부족하고, 물자가 부족하고, 교통도 불편하고, 호텔, 식당 막론 가는 곳마다 자본주의 시스템을 대놓고 무시해 우리를 당황케 하는 그런 나라를 왜 여행하고 싶겠나.

'몰락 선진국' 쿠바는 어쩌면 지구의 'DMZ 생태공원' 같은 곳이다. 국제 정치 역학에서 비롯된 지속적인 에너지난은 쿠바의 대체 에너지 연구를 추동했다. 아마 내일 세상이 멸망하더라도, 쿠바는 당분간 살아갈 힘이 있을 것이다. 이 작은 나라는 연구 가치가 있다. 미래를 위해서다. 편견을 벗고, 의심하고, 상상력을 발휘할 때다. 하나의 욕망이 다른 욕망을 살인하지 않는 사회를 원한다.

명심하라. 역사에서 언제나 폐허를 만들어 왔던 것은, 잘 짜인 하나의 질서였다는 것을.

올드 아바나의 하루

마르타 이 로만Marta y Roman, 네가 묵고 있는
카사 파르티쿨라르(민박집) 이름이다.
창문 없는 건조한 방에서 눈을 뜨다.
침대에서 한 시간 정도 뒹굴다. 몸을 씻고 거리로
나서다. 9시 30분. 오비스포 거리의 라 디초사La Dichosa
카페&바에서 커피 한 잔 마시다. 1.1세우세. 담배를 하나
사다. 아체우프만 0.7세우세. 오전 11시, 아침 식사를 위해
닛폰 쇼쿠도우(일본 식당) 노리코네 가게를 찾는다.
유명하지도 않은 이 카사에 짐을 부린 이유는 딱 하나,
바로 옆에 미술관이 있고, 반대쪽 옆에 작은 일식당이 있기
때문이다. 배산임수와 같다고 할까.

돈까스 덮밥(가츠동), 2세우세. 주문을 넣었다. 남은
시간엔 잡담. 노리코는 내일 쉰다. 그녀의 또 다른
직업인 관광 가이드 관련 일정이 잡혔다. (내일 아침은
어디에서 먹어야 하나. 고민이다.) 노리코의 꿈은 아바나에서

이자카야를 여는 것이다. 덴뿌라, 페스카도, 가라아게, 사케, 세르베사를 팔고 싶다고 한다. 노리코와 함께 일하는 야리마는 딸이 하나 있다. 그는 한국 '도라마'에 푹 빠져 있다. "오빠, 누나, 엄니, 저어언하~(사극에 나오는 그 '전하'), 안녕하세요, 고맙습니다"라고 '도라마'에서 익힌 말들을 내뱉는다. 그러고는 "나는 마흔다섯 살이고, 노리코는 마흔 살이니, 너에게 우리는 '누나들'이야"라고 친절하게 호칭과 한국식 계급을 정리해 준다. 그녀의 꿈은, 다음 생에 한국, 서울에서 태어나는 것.

"무초 아로스(밥 많이)?"

밥은 많을수록 좋다. 든든하게 가츠동을 먹고 다시 길을 나섰다. 목표는 무세오 데 베야 아르떼스Museo de Bellas Artes에서 온종일 사는 것. 위프레도 램Wifredo Lam, 토마스 산체스Tomás Sánchez, 호르헤 아르케Jorge Arche, 피델리코 폰세 데 레온Fidelio Ponce De Leon, 쿠바의 화가들 속에서 자유롭게 유영하기. 불과 5세우세면, 이 엄청난 그림들 속에서 온종일 숨을 쉬며 살 수가 있다. 단지 5세우세. (쿠바인은 5세우페다. 그들은 담배 한 갑 값도 안 되는 돈을 들고 그들의 멋진 유산을 마음껏 즐길 수 있다!)

심지어, 미술관 1층엔 흡연이 가능한 작고 예쁜 카페테리아가 있다. 오바마 미국 대통령을 빼닮은 경비 직원이 커피를 마시며 담배를 피우는 너를 흘끗거린다. 여건만 허락이 된다면 아바나에 지내는 동안 이곳에서 계속 머물고 싶다.

문제가 생겼다. 미술관에 들어가 가방을 맡기고, 물과 수첩을 챙겨든 후 티켓을 사려고 하는데, 한 직원이 '오늘은 1시까지 운영한다'고 네게 통보한다. 왜! 왜 하필 오늘인가. 지금 벌써 12시인데! 오늘은 화요일이고, 너는 지난 토요일(교황이 방문한다고 해서 쉬었다), 그리고 일요일(왠지 모르게 그냥 쉬더라)을 허탕 쳤다. 월요일은 원래 미술관이 쉬는 날이다. 어제 하루를 기다렸다가 오늘 좋은 기분으로 미술관에 온 것이다(너는 무려 4일 만에 겨우 미술관 안에 들어올 수 있었던 것이다)!

주어진 시간은 한 시간. 미술관에서 '유디'라는 친구를 만났다. 그녀는 미술관에서 일하는 직원이다.

너는 풀이 죽은 채로 유디에게 말을 걸었다. 평소처럼, 미술관 입구에 명백하게(너는 이 단어를 좋아하는 습관이 들었다) 쓰여 있는 그대로 오후 5시까지 운영하는 것을 바라는 네가 이상한 걸까? 그녀가 네게 공감해 주길 바랐다. 그녀가 네게 '안 됐다. 너무 상심하지 마'라고 해 줬으면 좋겠다. 4일 만에 미술관에 들어올 수 있었던 네게 제발 '미안해'라고 해 줬으면 좋겠다. 너는 고객이고 그녀는 직원이니까.

"미술관이 1시까지밖에 운영을 안 한대. 도대체 왜!"

그러나 네가 미처 말을 마치기도 전에 그녀는 답을 했다.

"오늘은 1시까지만 일해, 난 너무 행복해!"

예상 밖의 반응에 너는 당황해 한다. 너는 유디에게 불만을 쏟아내고 싶었다. 관람객을 생각해 달라는 말을 하고 싶었다. 너와 함께 미술관의 시스템을 저주했으면 했다. 그러나 그녀 역시 네가 공감해 주길 바랐을 것이다. '유디, 미술관이 1시까지밖에 열지 않는대. 오늘 일찍 퇴근하겠네. 축하해'라고 말해 주길 바랐을 것이다. 돌이켜 보면 너는 항상 네게 공감하는 것만이 공감이라 여겼다. 유디의 설명에 따르면, 물이 부족해 미술관 청소를 오랫동안 하지 못했다고 했다. 특히 화장실이 문제였다. 그래서 오늘은 물을 공수했다. 미술관 대청소의 날이라고 한다. 서울 같았으면 화장실 청소 같은 건 쉬는 날(일요일이나 공휴일이겠지) 인부를 불러 내(아마도 쿠바식 '성원환경주식회사'나, '아름에코시스템'과 같은 회사에 소속된 파견직, 비정규직 청소부들이겠지) 밤늦게까지 청소를 해치우고, 이튿날 운영에 지장이 없도록 했을 테다. 정규 근무시간이 끝난 후 야근을 이용해 청소를 마쳤을 것이다. 회사의 매출과 너의 노동에 지장이 없도록.

유디와 잡담을 계속 나눴다. 유디가 말했다.

"어떤 그림이 마음에 들어?"

너는 쿠바 독립 영웅 호세 마르티 초상화와 혁명 이전 시기를 살았던 한 불쌍한 화가의 〈여자아이들〉이라는(퀭한 눈의 세 여자아이가 허공을 응시한다) 그림이 좋다고 말했다. 그러자 유디는 너에게 빅토르 마누엘 가르시아Víctor Manuel García의 히타나 트로피칼(Gitana Tropical, 열대의 집시)을 추천해 준다. '아메리카의 모나리자La Gioconda Americana'라는 별칭으로 잘 알려져 있는 그림이다.

그 그림 앞에 꼼짝 않고 섰다. 신비로운 열대의 미녀가 왼쪽 위를 응시하는 듯하다. 그녀의 입술은 작지만 두껍다. 웃는 듯, 무표정인 듯, 혹은 화가 난 듯하다. 볼에 비친 음영은 그녀의 표정을 다채롭게 만든다. 혼혈 여인의 신비로운 표정 앞에 한참을 서 있다. 쿠바 근대 미술계의 거장인 마누엘 가르시아는 1920년대 프랑스에 머물다 여행을 떠난 후 이 그림을 그렸다. 그는 전 세계에서 가장 쓸모없는 민족으로 치부되는 집시를 선택했다. 그것도 열대의, 식민지의 집시를 그려 냈다. 유디가 다시 다가 왔다.

"이 그림이 마음에 들어? 미술관에서 사진 촬영은 금지야. 그래서 넌 사진을 찍을 수 없지만, 난 몰래 사진을 찍을 수 있어. 직원이니까. 혹시 다음 기회에 네가 미술관에 다시 오면, 이 그림 사진을 찍어서 프린트 해 네게 줄게."

"언제?"

"내일은 안 돼. 나도 장담은 할 수 없지만, 네게 이 그림을 담은 사진을 주겠어. 근데 이건 불법이야. 관장님이 알면 난 잘리겠지. 그러나 내가 너에게 해 줄 수 있는 것은 이것뿐이야. 쉿!"

너는 유디를 도와준 적이 있다. 그녀의 조카를 위해 선물을 준 적이 있다. 그에 대한 그녀 나름대로의 보답일 것이다. 오후 1시, 미술관 문은 기어이 닫혔고, 생글생글 웃는 유디와 헤어지게 됐다.

"AQUI TODAS LAS FORMAS DE CRUELDAD,
ENSAÑAMIENTO Y BARBARIE FUERON
SOBREPASADAS, (...) EL CUARTEL MONCADA
SE CONVIRTIO EN UN TALLER DE TORTURA
Y DE MUERTE. HOMBRES INDIGNOS
UNIFORME MILITAR EN
DE CARNICEROS
HISTORIA ME

미술관을 나와 무세오 데 라 레볼루시온, 혁명 박물관을 찾았다. 이곳에선 마음껏 사진을 찍을 수 있다. 입장료는 8세우세(약 9000원). 낡은 군복과 더러운 총, 혁명군 라벨과 오래된 작전 상황판이 유물처럼 전시된 곳을 여유 부리며 유영했다. 3층 전시실에는 1953년, 쿠바 혁명의 서막을 알린 '7월26일행동'의 시작을 보여 준다. 산티아고 데 쿠바의 몬카다 병영 습격 사건에서 시작된 쿠바 혁명을 연대기순으로 따라간다. 독재 체재에 반항한 죄로 죄수복을 입은 카스트로, 그의 최후 변론이 인상적이다.

"역사가 나를 무죄로 판명할 것이다."

그리고 죄수복을 입은 그의 어깨 너머 걸려 있는 호세 마르티의 얼굴이 강렬하다.

혁명 박물관을 나왔다. 오후 3시. 오비스포 거리를 걸었다. 그곳에서 수염을 다듬을 가위를 하나 샀다. 2.4세우세. 그리고 오비스포 거리의 끝자락, 호텔 암보스 문도스가 보일 무렵 좌회전. 오라일리 거리Calle O'Reilly의 '카페 오라일리'를 찾았다. 아일랜드식 이름의 거리다. 카페에선 유럽의 분위기가 풍긴다. 손님은 두어 테이블 남짓. 아메리카노를 마시며 황지우의 시집을 읽었다. 가끔 메모도 하고, 오늘 찍은 사진도 확인했다. 카페를 나왔다. 오후 4시 반. 다시 숙소로 돌아왔다. 돌아오는 길에 노리코네 가게를 지나쳤다. 지친 기색이 역력한 노리코가 턱을 괴고 앉아 있다. 웃으며 인사. 돌아와 땀에 흠뻑 젖은 몸을 씻어 냈다. 밀린 빨래도 했다. 저녁 6시. 미 대사관 근처에 있는 식당에서 약속이 있다. 오늘 저녁은 신선한 야채들을 먹게 된다. 진한 럼주를 한잔 마시고 마르타 이 로만에 돌아와 하루를 마감할 것이다. 피곤한 몸을 눕히고, 강렬한 태양 속에서 겪었던 작은 경험들을 곱씹게 될 것이다.

호텔

쿠바의 모든 호텔은 국영이다.
그런데 가격은 별도로 매겨져 있다. 방의 크기, 고급스러움, 호텔의 규모, 종업원 수(종업원 수가 많으면 당연히 시스템은 커지고, 나아지고, 디테일해진다)에 따라 가격이 매겨진다. 자본주의 식으로 '별 몇 개 호텔' 같은 단계별 등급이 존재한다. 마트든, 호텔이든 생산 수단은 국가 소유지만, 그것을 이용하는 사람들은 수요 공급 법칙에 따라 물건 값을, 방 값을 내야 한다.
더 좋은 서비스엔 더 많은 돈을! 호텔업이라는 것 자체가 자본주의적 산업이기 때문일 것이다. 호텔업은 자본주의의 상징이다.

예부터 공간을 파괴하고, 시간을 지배하고자 한 인간은, 증기기관과 함께 기차를 발명했다. 수천 년 구불구불한 길을 걷던 인간은, 쭉 뻗은 직선 길과 천둥소리를 내며 달리는 철마의 모습에 공포의 오르가즘을 느꼈다. 철도는 인간이 가진 '이동의 욕구'를 만족시켰고, 산업혁명을 촉진시켰다. 또한 인간은 거대한 크루즈를 만들었고, 자동차를 만들었다. 포드사社는 '자가용'을 생산했다. 빠른 이동을 가능케 하는 탈것은 그 자체로 권력이 됐다. 그와 함께 발달한 산업이 호텔업이었다. 좀 더 안전하고 편리한 식민지 여행, 그리고 식민지 경영을 위해 호텔은 세계 곳곳에 들어섰다. 고매한 유럽인들은 미개한 원주민들의, 불만 많은 노예의, 천한 백인들의 예상치 못한 습격을 피하길 원했고, 호텔은 특별한 보안 시스템을 발전시켜 왔다. 그것은 치외법권적 성격마저 띠었다. 지금도 마찬가지다. 너는 호텔에 들어왔을 때 안전함을 느낀다. 호텔 바에 앉으면 불안에 떨지 않고 거리의 쿠바인들을 마음껏 구경할 수 있다. 네가 묵는 호텔 자체가 믿음직스럽다기보단, 네가 지불한 거액의 호텔 숙박비에 포함된 보안 서비스 때문이다. 호텔 바에 앉아 안전함과 편안함을 느끼는 이유는, 단지 네가 쿠바인이 아닌, 외국인 관광객이기 때문이다.

쿠바에서 호텔의 역사는 식민지, 마피아의 역사다. 좀 더 특정해서 말하면 미 제국주의의 역사다. 피델 카스트로가 혁명 직후 미국 호텔 자본의 상징인 힐튼 호텔 24층에 혁명 사령부를 만든 것은 우연이 아니다. 그는 힐튼 호텔을 자유롭게 했고, '아바나 리브레'라는 이름을 붙여 재탄생시켰다. 쿠바인에게 호텔은 그런 곳이다. 호텔 자체가 '적산敵産'의 의미를 띠고 있다.

TAXI OK
P091793

영화 팬들은 프란시스 포드 코폴라 감독의 명작 〈대부2〉에서 그려진 쿠바 호텔의 모습을 기억한다. 돈 콜리오네(알파치노 분)와 동업자 마피아들, 뉴욕 판사, 미국 상원의원 등 권력의 부나비들은 쿠바의 독재자 바티스타를 구워삶아 쿠바에서의 사업권을 따내려고 한다. 이미 쿠바 혁명의 기운을 느끼고 있던 돈 콜리오네는 이 사업에 부정적이다. 체 게바라가 아바나에 입성했던 1959년 1월 1일, 돈 콜리오네는 아바나 시내 고급 호텔에서 열린 새해 축하 파티에 참석한다. 호텔은 미국 마피아와 부패한 쿠바 관료들의 '캐시 카우'였다. 한창 흥겨운 상황에서 바티스타가 갑자기 연설을 시작한다. 충격적인 내용이었다.

> "정부군이 혁명군을 막지 못했습니다.
> 나는 직을 수행할 수 없는 상태가 됐습니다.
> 나는 대통령직에서 사임한 후 즉시 아바나를 떠날 겁니다."

호텔 파티장은 난장판이 된다. 돈 콜리오네는 그런 상황에서 친형인 프레도가 자신을 밀고했음을 알게 된다. 그는 혼란스러운 군중들 틈에서 프레도에게 강렬한 키스를 날리며 "네 짓인 것을 알고 있어, 넌 내 마음을 찢어 놓았어"라는 명대사를 날리고, 극적으로 혁명 쿠바를 탈출하는 데 성공한다. 호텔 파티장에서 사의를 표명한 바티스타가 "살룻(건배 제의, '건강을 위하여'라는 뜻)"을 외치는 장면, 거리의 쿠바 민중의 "비바(혁명 만세)"를 외치는 장면은 극적으로 교차편집된다. 코폴라 감독의 특기다. 이 장면에서 전율이 느껴진다.

과거 호텔에는 내국인 출입이 금지됐다. 간혹 매춘 여성이 호텔에 들락거렸을 뿐이다. 쿠바의 경제 개혁 조치로 지금은 쿠바인도 호텔에 출입할 수 있게 됐다. 그러나 그들은 앞으로도 상당 기간, 혹은 영원히 호텔업을 외국 자본가들에게 허용하지 않을 것이다.

너는 아바나를 떠났다. 카리브 해에서 가장 아름다운 해변이 있다고 하는 트리니다드에 도착했다. 바다가 보이는 국영 호텔에 묵었다. 체크인을 하자마자 분홍색 밴드를 손목에 채워 준다. 이 밴드는 호텔의 모든 서비스를 이용할 수 있는 '티켓' 역할을 할 것이다. 숙박비에는 아침, 점심, 저녁, 심지어 술까지도 무제한으로 포함돼 있었다. 동남아시아나, 라틴 아메리카 휴양지 호텔의 '올 인클루시브(All-Inclusive, 모든 서비스 제공)'나 '풀빌라' 방식과 비슷하다. 신혼여행을 가면 이런 형태의 '풀 빌라'가 많다고 하는데, 너는 거기까진 잘 모른다.

몇 가지 문제가 있었는데, 그중에서도 이 호텔에서 다양한 식당을 찾아 볼 수 없다는 것은 가장 큰 문제였다. 호텔의 투숙객이 모두 똑같은 음식을 무제한으로 먹고 있었다. 분명 호텔 내에 프리미엄 식당이나, 선택할 수 있는 메뉴를 갖춘 유료 식당들이 있어야 할 것 같은데, 모든 투숙객은 똑같은 밴드를 차고, 똑같은 음식을 즐긴다. 방별로는 '오션뷰'냐 아니냐에 따라 가격이 다른 것 같긴 한데,

음식은 똑같다. 물론 쿠바에까지 와서 유명 프랜차이즈 식당을 바라는 것은 아니다. 음식이 입맛에 맞지 않는다면, 다른 식당을 찾아야 한다. 그게 이 호텔에선 불가능하다. 결국 차를 타고 나가야 하거나, 택시를 불러야 한다. 여기는 앙콘 해변, 반도 끝에 있는 앙콘 호텔이다. 트리니다드 시내까지 10킬로미터 이상 떨어져 있다.

너는 트리니다드 시내로 나간다. 괜찮은 식당을 찾아 랍스타 요리를 주문하고 7년산 아바나 클럽을 몇 잔 마신 후 호텔로 다시 돌아왔는데, 사람들은 여전히 '모든 게 포함된' 호텔 생활을 즐기고 있었다. 밤에는 쇼가 벌어진다. 오늘 공연은 이웃 나라인 아이티에서 온 '트로피칼 차력단'의 차력 쇼. 영 어색하고 웃기다. 오리엔탈리즘만큼이나, '트로피칼리즘' 같은 게 있는 듯하다. 물라토들이 무한 반복의 정글 리듬에 맞춰 이국적인 춤을 끊임없이 추고, 화려하고 신비로운 조명은 반질반질한 피부 위에서 흘러내리고 있는 땀을 비춘다. 아프리카든 산테리아(Santería, 기독교와 아프리카 신앙이 결합된 쿠바의 전통 종교)든, 라스파타리아(Rastafarian, 자메이카 흑인들이 믿는, 역시 아프리카 신앙과 기독교 전통이 결합된 종교)든, 여하튼 '토속적'이고 '열대적'인 무엇인가를 바라는 백인과 동양인 관중들을 정확하게 만족시키기 위해 고안된 쇼 같았다.

이미 얼큰하게 취했지만 그 쇼는 너의 호기심을 끄는 데 성공했다. 테이블을 하나 잡고 눌러 앉았다. 바텐더들이 분주하다. 투숙객들은 모두 컵 하나씩을 들고 있다. 무대가 잘 보이는 쪽 테이블에 앉은 너 역시 컵을 하나 들고 바텐더들이 제공해 주는 무제한 맥주와 무제한 칵테일을 즐기면 된다. 너는 각종 칵테일에 흠뻑 빠져들었고, 형형색색의 비주얼을 탐닉했다. 바텐더의 손에 빈 잔이 들어가면 어느새 가득 찬 잔이 돼 나온다. 도대체 술이 얼마나 준비돼 있는 것이냐. 바텐더의 손놀림은 익숙해졌고 너는 어느 순간 제조법까지 기억하게 된다. 열대의 밤은 깊어 간다. 끝없이 마실 수 있을 것 같았다. 끝없이 마셔도 끝나지 않을 것 같았다.

이튿날, 너는 복합적인 숙취를 경험하게 된다. 비틀거리며 밖에 나와 심호흡을 한다. 수영복 차림에 수건을 걸치고 카리브 해 백사장에 지친 몸을 눕힌다. 호텔 종업원이 너에게 다가왔다.

"시원한 맥주 한잔 하시겠어요?"

너는 퀭한 눈으로 그를 바라보며 손사래를 친다. 너의 손목을 감싸고 있는 밴드는 여전히 오늘 '이 호텔의 모든 술을 맛 볼 수 있는' 증표다. 그러나 인간의 몸은 한계가 있다. 욕망이 너를 압도하게 둔다면, 필시 재앙은 따라오게 돼 있다.

'무제한 맥주', '무제한 칵테일' 바는 또다시 문을 열었다. 새로 도착한 투숙객들은 바텐더 앞에 몰려든다. 그러나 이제 너는 술을 입에 댈 수 없다.

차를 타고 시내를 달리다 사거리에서 멈춰 선다.
아바나, 산타클라라, 트리니다드Trinidad,
시엔푸에고스Cienfuegos 등. 어느 도시에 가도 바둑판
같은 시가지이지만, 대부분 길이 너무 좁아서 도심에서
이방인이 차를 움직여 돌아다니기란 쉽지 않다. 처음
운전을 하게 되면 도대체 어느 길이 일방통행인지(표지판을
잘 보라), 신호를 받아야 하는 우회전은 어느 곳에서 해야
하는지(우회전도 신호를 받아야 한다), 어느 곳에서 멈춰야
하는지(역시 표지판을 잘 보라) 보행자를 위한 횡단보도라는

것이 과연 존재하는지(존재는 한다) 헷갈린다.

쿠바에서 자동차 값은 매우 비싸다고 한다. 1대에 억대를 호가한다. 상대적 가격이 아니다. 절대적 가격이다. 쿠바에서 개인의 차량 소유는 합법이다. 단, 당신이 돈이 많거나, 외국에 부자 친척을 두고 있을 때에 한해서다.

거리에 다니는 차량의 상당수가 국가 소유 차량일 수밖에 없다. 국영 렌터카 시스템 때문이다. 쿠바는 거주 이전의 자유가 있다. 북한과 다르다. 법적으로 엄격히 막진 않는다. 물론 제한적이긴 하다. 교육을 받을 자유, 직업을 선택할 자유도 있다. 일단 직업을 선택하면 대부분 사는 곳을 중심으로 근무지를 받게 된다고 한다. 거주 이전이 쉽지 않은 이유다. 자연스럽게 도시와 도시를 잇는 대중교통 시스템은 거의 없을 수밖에 없다. 물론 버스 터미널이 있고, 쿠바인들도 자유롭게 여행을 다닐 수는 있다. 그러나 그 여행 역시 '돈'의 문제에서 자유롭지 않다.

이런 현실적 제약 때문에 쿠바 사람들은 대부분 나고 자란 곳에서 살거나, 정부가 지정해 주는 근무지 주변에서 산다.

모두 자동차를 소유하기 어려운 이유들이다. 첫째, 비싸고, 둘째, 크게 필요성을 느끼지 못한다. 쿠바는 전 세계 자동차 메이커들의 '블루오션'인 셈인데, 그렇다고 해도 진출은 쉽지 않다. 쿠바에서 자동차를 직접 세일을 하기는 어렵다. 주로 캐나다를 비롯한 외국계 딜러들이 자동차를 중개하고 판매하는데, 제한적으로 수입하다 보니 이 사업도 쉽지 않다고 한다. 가장 큰 문제는 '수요'가 없다는 점이다. 자동차를 살 돈이 없기 때문이다. 불편하다고? 좋은 점은 많다. 우선 자동차가 없기 때문에 공기가 맑다 (물론 아바나 시내는 제외하겠다. 50년 된 시보레 공룡들이 시커먼 연기를 뿜고 다닌다. 올드 아바나와 센트로 아바나를 가르는 카피톨리오 주변은 자동차의 '쥐라기 공원'이라고도 한다).

Transporte

자동차는 없지만 관광 산업은 발달했다. 외국인들에게 쿠바는 매력적인 여행지다. 그런데 대중교통이 없다. 자연히 렌터카가 주목받는다. '쿠바카Cuba Car'는 국영 렌터카 업체다. 전국 곳곳에 쿠바카 지점이 있고, 인터넷 등으로 예약을 하면 차를 받을 수 있다. 하루 빌리는 데 경차는 우리 돈 5~6만 원, 중형차는 10만 원 이상이다. 쿠바투르Cuba Tur라는 국영 여행사 소유의 대형 버스들은 도시와 도시를 잇는 대중교통 역할을 한다.

차를 빌렸다면, 거리로 나서 보자. 몇 가지 특이한 풍경을 마주하게 된다. 가장 특이한 것은 우회전이다. 'CEDA EL PASO(통행할 수 있음)'이라는 표지판은 신호 없이도 우회전을 할 수 있다는 표시다. 대부분의 우회전은 신호를 받아야 한다. 중요한 것은 정지 표지판이다. 정지 신호는 꼭 지켜야 한다. 신호등이 없더라도 모든 사거리에서는 일단 정차한 후 좌우를 살피고 진행해야 한다. 차가 지나가지 않더라도 무조건 멈춰야 한다. 쿠바의 교통경찰은 그 수도 많고 엄청나게 까다롭다.

트리니다드나 산타클라라와 같은, 비교적 작은 도시에 가면 재미있는 풍경을 볼 수 있다. 도로 위의 모든 탈것들이 신호를 지키는 모습이다. 느릿느릿 가는 마차도, 자전거도, 그리고 자동차도 모두 평등하다. 복잡한 사거리, 혹은 오거리에서 신호는 중요하다. 마차나 달구지도 붉은 신호등이 켜지면 어김없이 멈춘다. 뒤에 서 있는 자동차도 함께 기다린다. 길을 방해하지 말라고 소리치는 사람도, 경적을 울리는 사람도 없다. 자전거도 마찬가지다. 자동차, 달구지, 마차와 함께 자전거 역시 도로에서 다른 탈것들과 함께 평등하게 운행할 수 있는 하나의 주체다. 신호등이 켜지면 자전거도 멈춘다. 그리고 좌회전 신호, 우회전 신호를 받는다.

처음에는 굉장히 답답하다. "저 달구지, 지금 좌회전 신호 기다리는 거야?"라며 폭소를 터트리게 될 수도 있다. 그러나 익숙해지면 괜찮다. 좁은 일방통행 길에서도 자전거는, 차가 뒤에서 온다고 해도 절대 비켜 주지

않는다. 좁고 험한 길에서는 모두가 가장 느린 탈것의 속력에 자신의 속력을 맞춘다. 자연스러운 것으로 여긴다. 미안해할 필요도 없고, 화를 낼 필요도 없다. 그것이 좁고 험한 길을 빠져 나가는 가장 좋은 방법이다.

좁은 사거리에서 자전거를 탄 사람이 멈춤 신호에 따라 양옆에 차가 오지 않는데도, 관행적으로 고개를 좌우로 두리번거리는 모습은 귀엽기까지 하다. 소달구지를 모는 사람과 아우디를 모는 사람도 모두 웃으며 서로에게 인사한다. 길 위에서 모든 탈것은 평등하다. 자동차를 가진 사람을 부러워하지도 않고, 자전거 타는 사람을 괄시하지도 않는다. 언젠가 쿠바에서 '자전거 여행'을 한번 해 보고 싶어졌다.

노리코네 식당

노리코, 쿠바를 여행하는 한국인들은 한 번쯤 이름을 들어봤을 거다.
'아 노리코' 하면서 반가워하실 분들도 많겠다. 앞에서 노리코네 식당을 언급한 적이 있는데, 이 식당에 대해 조금 더 이야기해 보겠다.

아바나 비에하에 가 보면, 아구아카테Aguacate와 산 후안 데 디오스San Juan De Dios거리가 만나는 언저리에 아주 작은 식당을 하나 발견할 수 있다. 식당이 있을 만한 곳이 아닌데, 여하간 자리를 잡고 손님을 기다린다. 코미다 하포네사(Comida Japonesa, 일본 요리)라고 귀엽게 쓰인 간판을 걸어 놓고(솔직히 말하면 그냥 종이에 글씨를 프린트해서 코팅한 수준이다) 두 평인가 세 평인가 되는 곳에 의자가 4개인가, 5개인가 들어가는 그런 식당이다. 누가 봐도 일본인인 여자 1명과 쿠바 아주머니 1명이 분주하게 움직인다. 메뉴는 가츠동, 데리야키, 쇼가야키, 돈가스, 가라아게, 단출하다. 모든 음식은 2세우세(약 2400원)로, 저렴한 편이다. 여기에 카르네 도블레, 즉 고기를 곱빼기로 주문하면 1세우세를 더 받는다. 매실 맛이 나는 주스와 달달한 아이스커피도 판다. 아기자기한 일본 영화에나 나올 법한 이 조그만 식당 주인의 이름은 노리코다. 마흔. 일본 오사카 출신.

이 식당이 특별한 이유는 있다. 쿠바 음식이라는 게, 몇 번 즐기다 보면 질릴 때가 온다. 어느 날, 그냥 김치찌개나 삼겹살에 소주 한잔 생각에 몸서리쳐지는 날, 그냥 쌀밥에 김치나 간장만 있어도 되겠다 싶은 잔인한

날, 아 글쎄, 라면이라도 한 그릇 끓여 먹었으면 좋겠다는 그런 날에 대안으로 들를 수 있는 훌륭한 곳이다. 특히 한국인, 일본인 장기 여행객에겐 더 반갑다. 일본식 간장 소스로 맛을 낸 닭이나 돼지고기를 올려 내 양배추, 그리고 아보카도와 함께 먹는데, 맛이 꽤 훌륭하다. 궁하면 통하는 법이다.

노리코 씨는 쿠바에 온 지 4년 됐다고 한다. 스페인어와 일본어, 그리고 약간의 한국어를 구사한다. "안녕하세요", "잘가", "미남이시네요", "너무 이뻐요". 이런 정도 수준인데, 아마 지금은 더 잘 할 걸로 믿는다. 노리코 씨는 과거 오사카에서 모히토나 다이키리를 파는 작은 쿠바식 술집을 운영했다고 한다. 일본에서는 쿠바 음식을, 쿠바에서는 일본 음식을 하고 있는 셈이라며 호탕하게 웃는다. 외국인은 식당을 소유할 수 없다. 아마 쿠바인 명의로 식당을 열고, 노리코 씨가 실제로 소유하는 것 같다. 노리코 씨는 앞으로 아바나에 작은 이자카야를 열어

사케도 팔고 모히토도 파는 것이 꿈이라고 한다. 그 꿈이 꼭 이뤄지길 바란다.

노리코 씨와 같이 일하는 야리마 씨는 마흔다섯 살 된 쿠바 아주머니다. 한국 드라마의 엄청난 팬인데, 서울에서 살아 보는 게 꿈이라고 한다. 그 꿈도 꼭 이뤄지길 바란다.

나름대로 분류를 해 본다면, 쿠바에는 몇 종류의 식당이 있다. 우선 서민들의 식당이다. 쿠바 길거리에는, 특히 점심시간 무렵이면 쿠바 샌드위치나(영화 〈아메리칸 쉐프〉에 나오는 쿠바 샌드위치는 미국식 음식이다. 미국에 이주해 온 쿠바 이민자들이 즐겨 먹던 샌드위치를 미국식으로 고급스럽게 만든 음식인 셈이다) 햄버거(이곳에서는 hamburguesa, 즉 암부르게사라고 부른다) 등을 들고 서서 끼니를 해결하는 쿠바인들을 많이 볼 수 있다.

점심 식문화라는 게 이런 정도 수준이다. 점심은 간단하게 때울 수 있는 고칼로리 음식을 선호한다. 피자도 아주 인기다. 어느 동네를 가든, 사람들이 가장 많이 줄 서 있는 피자집을 들어가면 후회하지 않는다. 호떡을 잡을 때 쓰는 두꺼운 종이 위에, 1인용 피자를 반으로 접어 손에 들고, 찐득한 치즈의 달콤한 맛을 즐길 수 있다. 가격은 대개 20세우페(약 800원) 정도다. 햄버거나 샌드위치 가격도 비슷하거나 그보다 싸다. 그런데 조심해야 한다. 이런 식습관이 쿠바인들의 비만의 주범이라고 한다. 실제로 쿠바인들을 대상으로 한 식습관 조사를 보면 설탕이나 돼지고기와 같은 고칼로리 음식에 대한 경각심은 매우 낮은 것으로 나타난다.

돼지고기와 설탕 얘기가 나와서 말인데, 쿠바 사람들에게 가장 인기 있는 음식은 바로 이 두 가지다. 달달한 아이스크림도 곳곳에서 판매된다. 꽤 비싼 가격임에도 사람들은 좋아한다. 교복을 입은 아이들이 아이스크림을 하나씩 들고 거리에 서 있는 모습은 흔한 풍경이다. 설탕은 쿠바의 핵심 산업이었다. 과거 소련은 설탕을 비싼 값에 사 주고, 석유를 싼값에 팔아, 쿠바 경제를 지탱시켜 줬다. 더 오래전으로 거슬러 올라가면, 서구 식민주의자들은 쿠바를 거대한 사탕수수 플랜테이션으로 만들어 경영을 했다. 쿠바에서 설탕은 많은 요리에 들어가고, 지금까지도 사랑받고 있는 '위험한' 음식 중 하나가 됐다. 돼지고기는 쿠바가 1990년대 식량난을 겪으면서 선호 음식으로 떠오른다. 다른 가축에 비해 돼지는 좁은 면적에서, 사료 걱정을 크게 하지 않고 키울 수 있는 가축이기 때문이다. 식문화에도 쿠바의 정치 경제적 상황들이 녹아 있다.

쿠바 식당은 모두 국영이다? 90%는 맞는 말이다. 그러나 쿠바는 2006년, 2010년 연이은 개혁 조치를 통해 개인 식당을 허가했다. 물론 아무나 경영을 허락받을 수 없다. 주로 부를 축적한 유명 인사들이 경영을 하거나, 외국인들과 합작해서 경영하는 형태가 많다. 미라마르

LA CHUC
CAFETERIA

지역에 있는 '라 추체리아La Chucheria'라는 식당은 미국식 스포츠 바를 닮았다. 술도 팔고 햄버거와 피자도 파는 음식점이다. 이 음식점을 운영하는 인사는 쿠바의 유명한 코미디언이라고 한다. 식당 안에 걸려 있는 벽걸이 티브이를 통해 쿠바 사람들은 리오넬 메시의 최근 경기를 즐기고, 비욘세의 최신 뮤직비디오를 감상한다. MTV와 같은 미국 채널도 나온다.

그리고 괜찮은 식당 한 곳을 소개한다. 피아노 바Piano Bar라는 이름의, 옥외 간판도 없는 식당이다. 미국 대사관을 마주 보고 오른 편으로 고개를 돌리면 10층짜리 건물을 볼 수 있는데, 이 건물의 꼭대기에 있다. 마치 펜트하우스 같은 느낌인데, 주로 스페인 음식과 각종 술을 판다. 밖엔 수영장도 있다. 이곳에서는 미국 대사관과 그 앞에 있는 반제국주의 광장을 내려다볼 수 있는데, 이 풍경은 꽤 재미있는 구도로 이뤄져 있다. 미국 대사관 바로 앞 광장 이름이 '반제 광장'이라니. 미국 대사관 너머에 있는 플로리다 해협, 그 드넓은 바다까지도 한눈에 들어온다.

EL LITORAL

Don Cangrejo

'리오 마르'라는 식당도 생각난다. 리오Rio는 스페인어로 강, 마르Mar는 스페인어로 바다다. 말 그대로 강과 바다가 만나는 지점에 있는 전망 좋은 식당이다. 미라마르와 베다도를 가르는 알멘다레스 강이 바다로 빠지는 지점에 위치한다. 건너편에는 날마다 살사 파티가 벌어지는 광경을 볼 수 있다. '리토랄Ritoral'이라는 식당도 있다. 미국 대사관 옆, 말레콘 대로에 있는 식당으로, 신선한 야채와 맛있는 퓨전 요리를 맛 볼 수 있다. 미라마르에 있는 '돈 캉그레호Don Cangrejo'라는 랍스터 전문 식당도 생각난다. 이 식당은 쿠바의 해양수산부에 해당하는 정부 부처가 운영하는 곳이다. 노량진 시장보다 싼 가격에 거대한 랍스터를 맛볼 수 있다.

쿠바의 가장 큰 변화라고 한다면, 아바나 시내 곳곳에 식당들, 민영 식당이라든지, 외국인과 합작 식당이라든지 하는 곳들이 대거 생겨나고 있다는 점이다. 아바나 시내 민영 식당은 약 50여 곳이 운영 중이라고 한다.

식당에서 밤늦도록 음식을 즐기고, 술을 마셔 보는 것도 좋다. 쿠바에 거주하고 있는 한국 사람들에게 물었다. 한국보다 더 안전하다고 한다. 무기는 소지 자체가 범죄다. 강력 범죄는 거의 없다고 한다. 특히 새벽에 혼자 택시를 타는 여성은 안심해도 좋다고 한다. 낮은 범죄율은 쿠바의 큰 자랑거리다. 여러 이유가 있겠지만, 일단 범죄에 엄격한 사회 분위기 때문일 것이고, 둘째, 인종, 성별, 장애인, 동성애자를 차별하지 않는 강력한 평등 정책 때문일 것이다. 셋째, 쿠바 사람들의 자유로운 연애관 때문이라는데, 쿠바 남성들은 언제나 여성들에게 추파를 던진다. 라틴 아메리카 특유의 문화적 특성이다. 이를 두고 '북미식 페미니스트'들은 성희롱에 둔감한 쿠바 여성들의 문제라고 비판하지만, '남미식 페미니스트'들은 문화적 특수성을 외면한 그들(북반구 선진국)만의 오만이라 비판한다. 여하간 남녀 모두 이성과 자유로운 '작업'이 가능하기 때문에 여성에 대한 폭력이 적다는 이 이론은, 믿거나 말거나 알아서 판단하시라. 확실한 것은 쿠바 사회가 안전해 보인다는 점이다.

아웃 오브 아프리카

오래전에 본 영화 〈아웃 오브 아프리카〉를 떠올린다.
그 영화는 네게 아프리카, 그리고 미지의 세계에 대한
막연한 동경을 심어 주었다. 처음 너는 그 영화의 배경이
남아프리카공화국인 줄 알았다. 영화 〈미션〉의 아프리카
버전이 아닐까 했다. 그러나 〈아웃 오브 아프리카〉는
식민 시절 케냐를 배경으로 한 백인 남녀의 아름다운
사랑 이야기를 담고 있었다. 젊은 시절 메릴 스트립과
로버트 레드포드는 한 쌍의 완벽한 연인이었고, 케냐의
대자연을 배경으로 한 비극적이고 낭만적인 대하드라마의

주인공들이었다. 원작 역시 한 덴마크 여성의 자전적 소설을 바탕으로 했다.

지금 보면 건방지고 유치하고 개념 없는 영화라는 생각이 들지만, 그래도 떠오르는 대사가 하나 있다.

> "마사이족은 영원한 현재를 믿는다.
> 미래라는 것이 없다. 그래서 마사이족은 감옥에
> 갇히게 되면 바로 죽음에 이른다.
> 현재를 빼앗기는 것이기 때문이다."

자유로운 영혼으로 그려진 로버트 레드포드는 흑인 하인들을 이리저리 끌고 다니며 저녁마다 대자연 속에 식탁을 놓은 채 메릴 스트립과 함께 맛 좋은 와인을 즐겼다. 흑인 하인들은 넓은 초원 위에서 그들을 위해 고풍스러운 촛대로 식탁을 장식했다. 그들의 잠자리를 마련해 주고, 그들이 씻을 물을 마련해 줬다. 그게 바로 낭만이었다. 하인들과 함께라면, 누구든 멋진 곳에서

로맨틱한 분위기를 낼 수 있다. 물론 현대에 그런 식으로 여행한다면 너는 곧바로 철창행을 예약하게 된다.

각설하고, 이 영화에 나온 마사이족의 경구는 너의 마음을 흔들었다. 아프리카인들의 오래된 지혜, 그리고 삶을 대하는 태도를 느낄 수 있었다. 단순히 서구식으로 '현재를 즐기라Carpe Diem'는 얘기로 들리지 않았다. 인간이 신의 영역을 뛰어넘을 수 있다고 최초로 믿었던 시대, 18세기의 낭만주의자들은 시간의 직선을 상상했다. 그 직선 끝엔 언젠가 닿을 수 있을 진 모르겠지만, 분명 신이 있을 것이라고 생각했다. 그리고 내달렸다. 달리고, 또 달렸다. '현재'는 중요치 않았다. 일어나지 않았던 일들, 그래서 일어날 가능성이 있는 일들, 반드시 일어나야만 하는 미래만이 인간 삶의 동력이 됐다. 그렇게 내달린 결과, 인간은 증기 기관과 자동차와 비행기를 얻었다. 그리고 몸을 맡겼다. 총을 들고 자동차에, 비행기에 뛰어들자 자동차와 비행기는 탱크가 되고, 폭격기가 됐다. 내달린 인간은 서로 충돌했다. 전쟁이었다. 인간은 이성의 실패를 인정해야만 했다.

그런 인간들은 마사이족에게 악마였다. 현재를 갈취하는 법을 잘 알고 있는 잔혹한 존재였다. 마사이족의 눈에 그들은 시간의 노예였다. 무언가에 쫓기듯, 또 무언가를 갈구하는 정신병자였다.

사실 여행자에게 시간이란 크게 중요치 않다. 오히려 공간의 변화가 중요하다. 로버트 레드포드가 아프리카 마사이족의 경구를 새기고 사는 것은, 유럽에서 아프리카로 이어진 공간의 변화가 그의 인식에 영향을 줬다는 것을 의미한다. 그리고 그는 영원한 현재를 사는 그들에게 귀를 기울이고, 스스로의 모습을 비춰 보았다. 너도 귀를 기울여 본다. 현재를 잃는다는 것이 얼마나 치명적인지, 너는 알지 못한 채 지금껏 살아왔다.

너는 익숙한 공간을 떠나왔다. 여행은 지속되는 현재다. 우리가 속한 시스템의 시간 법칙에서 벗어나 있다. 만약 여행을 마친 네가 서울로 돌아간다면, 너는 곧바로 1주일 단위의 시간에 갇히게 될 것이다. 그 네 번의 일주일은 열두 번 반복되고, 네 번의 일주일 12개는 다시 3개로, 5개로, 10개로, 30개로, 월급, 연봉, 적금, 대출금, 연금으로, 쪼개져 간다. 너는 너의 삶을 시간의 선상에 배열하고 정렬시켜야 한다. 그 안에서 너는 정교한 타임테이블을 짜야 한다. 미래를 염두에 두어야 한다. 낙오하지 않도록 세심한 계획을 세워 움직여야 한다. 아니 그것을 움직인다고 표현하는 것은 맞지 않다. 네가 타고 있는 시간의 물결이 너를 밀어내는 것이다. 그것은 하나의 고정된 관념이자, 시스템의 붕괴를 막는 안전장치다.

여행은 그런 너를 다른 시공간에 편입시킨다.
한 달을 여행하든, 1년을 여행하든 너는 그대로 너다.
네 앞에는 평면의 지도 위에 놓인 길이 있을 뿐이고,
네 뒤에는 그동안 밟았던 길들이 있을 뿐이다.

익숙한 공간을 떠나오면서, 토마스 만의 《마의 산》 첫 장에
나오는 글을 너는 곱씹게 되는 것이다.

> "젊은이는, 특히 삶 속에 뿌리를 단단히 박아
> 넣었다고 보기에 어려운 젊은이는, 이틀 정도의
> 여행만으로도 그가 속한 일상 세계로부터
> 분리된다. 그를 둘러싼 의무, 이해관계, 걱정,
> 그리고 희망으로부터 분리된다. 특히 기차역으로
> 향하는 마차 안에 앉아 있다면, 그러한 것들로부터
> 더욱 멀어지게 된다.
>
> 그와, 그의 고향 사이의 공간, 구르고 돌고 하는 그
> '공간'은 우리가 보통 '시간'만이 갖고 있으리라고

생각하는 바로 그 힘을 가지고 휘두른다. 시시각각
공간이 변하면 그의 마음속에서도 변화가
일어난다. 마치 시간의 흐름이 그의 내적 변화를
이끌어 내는 것처럼. 그런데 어떤 때는 공간이
시간보다 더 강한 내적 변화를 일으키기도 한다.
공간도 시간처럼 망각의 힘을 갖는다. 그를 둘러싼
일상의 관계로부터 그의 신체를 해방시켜 주고,
인간 본연의 자유로운, 어디에도 매이지 않은
상태로 돌려놓는다. 그렇다. 공간은 눈 깜짝할
사이에 속물이건, 지루하고 딱딱한 사람이건 정처
없는 방랑자로 만들어 버리는 것이다.

시간을 흔히 '망각의 강'이라고 말한다. 새로운
공기 한 모금도, 망각의 강물 한 모금과 비슷한
효과를 낸다. 공간의 효력은 시간만큼 철저하진
못하지만, 시간보다 더 빠른 속도로 나타난다."

지금 네 상황이 그렇다. 공간이 바뀌자 길을 잃고 망각의 영역으로 들어서 버렸다. 분명 호텔 건물이 보이는 방향으로 걸었는데, 30분째 목적지에 도착하지 못하고 있다. 알고 보니, 너는 목적지를 이미 지나쳐 최소한 다섯 블록 이상을 추가로 걸었고, 의도치 않은 방랑자가 되어 버린 셈이었다.

저 멀리 말레콘 바닷가에서, 비구름이 밀려오고 있다.

아, 시간이 멈춰 주길.

사람은 누구나 마음의 감기를 앓고 있다.
바이러스는 잠복해 있다가, 마음의 면역력이 저하되는
틈을 타 뚫고 나온다. 슬픔은 기침이 돼 터져 나오고,
우울은 음악과 함께 너를 잠식한다. 삶의 에너지가
방전되면 감정의 밑바닥은 자연스럽게 드러나게 된다.

인간은 신神을 잃은 대신 시스템을 얻었다. 편안한 소파와
인터넷, 자동차와 직장 상사, 공무원과 정치인을 얻었다.
법당과 회당에서, 석양 지는 어스름 속에서 기도하는

법을 잃은 대신, 손에 잡히는 물질적 풍요를 얻었다. 월급 통장과 전셋집, 유가증권과 연금, 그리고 주민등록번호를 얻었다. 신을 잃었기 때문에 심적 면역력은 저하됐고, 매년 독감을 앓는 것처럼 너는 항상 불안해하며 삶을 살아간다. 너는 시스템에 기댈 수 있지만, 마음의 병은 때때로 고개를 든다.

굴러가기를 멈춰야 한다. 정신과 문을 두들기고, 술을 마시고, 애인에게 고통을 털어 놓는다. 그리고 여행을 떠나게 될 것이다. 여행은 아주 좋은 안티플루다. 딱 한 달 쿠바. 어떤가?

많은 한국인들이 보통 한 달간 쿠바 여행을 한다. 쿠바 관광 비자의 유효 기간이 딱 한 달이기 때문이기도 하고, 한 달 정도가 쿠바를 여행하기 딱 좋은 시간인 것 같기도 하다. 장기 여행을 계획한다면 비자를 갱신하는 법을 알고 가야 할 것 같다. 한 달을 채운 후 잠시 멕시코나 캐나다,

뉴욕, 혹은 베네수엘라나 파나마 같은 곳에 들렀다, 다시 비자를 끊고 들어오는 게 좋겠다. 불법 체류자와 합법 관광객의 경계가 딱 한 달이다. 노리코 식당에서 만난 한 한국 사람은 3년 근속에 한 달 주어지는 안식월을 사용해 쿠바에 왔다고 한다. 혹시 이 글을 읽는다면, 그때 노리코 식당에서 만난 수염 덥수룩한 한국인이 이 글을 쓰고 있다고 연상하면 될 듯하다.

한 달 동안 오전엔 스페인어 강좌를 듣고, 오후엔 살사를 배우겠다는 목적으로 하는 여행도 가능하다 (실제 이 계획을 이행하는 부부를 만난 적이 있다). 주말엔 트랜스투르(Transtur, 쿠바의 여행사가 운영하는 버스)를 예매해 바라데로의 에메랄드빛 바다를 즐기고 오거나 아바나의 숨겨진 맛집, 멋집을 찾아다녀도 좋을 것 같다.

또 다른 방법도 있다. 아바나에 머물고 있던 기간에 레오 브라우어 페스티벌이 있었는데, 이른바 '페스티벌 여행'도 가능하다. 아바나 시내 곳곳에 있는 아트홀에서 이틀에 한 번 정도 진귀한 음악 공연이 열리는데, 시간표를 받아 두었다가 공연을 실컷 보고 오는 것이다. 티켓 값은 관광객일 경우 10세우세(약 1만 2000원), 현지인이나 장기 비자(학생 비자 등)를 가졌을 경우 10세우페(약 500원)다. 문화 예술을 즐기는 데 있어서 쿠바의 시스템은 부러울 정도다. 광화문에 나가 300원짜리 소설을 사 읽고, 800원에 한국 최고 기타리스트의 공연을 즐기고, 500원에 국립 극단의 연극을 감상할 수 있다고 생각해 보라. 모든 인간에게 문화, 예술, 지식은 열려 있어야 한다.

이런 문화는 쿠바의 체제를 지탱하는 원동력이다. 쿠바인들에게 예술은 존재 이유 그 자체다. 그들의 작품에서는 금욕주의나 전체주의를 느낄 수 없다. 전 세계 어느 나라보다 직업 무용수가 많고, 직업 화가가 많고, 직업 음악인이 많은 곳이다. 그곳에서 예술가는 굶어

CUBA

죽지 않는다. 그것 하나만 가지고도 쿠바의 저력은 설명될 수 있다. 만약 당신이 감기에 걸렸다면, 딱 한 달 쿠바, 어떤가?

인간의 삶은 두 가지로 이뤄진다.

생존을 위한 노동, 그리고 그 외의 '잉여'적인 모든 것.

그것이 쾌락을 추구하는 것이든, 종교적 일상을 추구하는 것이든, 인간은 자신의 존재를 유지하기 위한 모든 행위를 마친 후, 비로소 스스로 하고자 하는 것을 찾게 된다.

마음이 동하는 것을 찾게 된다.

서울에서의 삶은, 존재 자체를 유지하기 위한 행위들로 가득 차 있다. 그것은 '잉여'를 잡아먹는다. 너의 마음을 병들게 한다. 주말, 레스토랑에 앉아 스테이크를 썰기 위해, 5일간 딱딱한 보고서에 시달려야 한다. 은행과 보험회사, 식당과 백화점은 너의 지갑을 열기 위해 총력전을 편다. 물론 총력전에 동원된 그들 역시 일상으로 돌아와, 너와 같은 인간들에게 지갑을 열어야 할 것이다. 너 역시 그들의 지갑을 열기 위해 보고서에 시달린다.
그 과정에서 서로에게 상처를 입히기도 한다. 고통마저도 생의 장작으로 태워 넣어야 하는 곳. 너의 세계다.

너는 날마다 명령한다. '나에게 명령해!'라고. 명령을 하지 않으면 견딜 수 없었다. 아침 7시에 일어나 주스 한 잔으로 목을 축인 후 월급 통장을 상상하며 끝도 없이 주어지게 되는 미션들을 수행한다. 퇴근 후엔 술 한 모금으로 목을 축이고 내일 수행할 미션을 차질 없이 준비하기 위해 너의 몸을 작고 너저분한 침대에 던져 놓는다. 어느 날 명령하기를 멈춘다면. 너는 외롭고 쓸쓸하게 담배꽁초가

흩어진 거리를 배회할 것이다. 네가 아바나를 떠날 때, 가장 두려웠던 것은 저 삶으로 다시 돌아가게 될 수밖에 없다는 것이었다.

먹을 걱정 없고, 입을 걱정 없고, 잠자리 걱정이 없다면 얼마나 좋을까. 더러운 침대라도 좋다. 구름 위를 산책하듯 사뿐한 발걸음으로 개들과 청년들과 묘지들 사이를 미끄러지듯 걸어도 좋다. 집 앞 흔들의자에 앉아, 흔들림을 하나 둘 세 가며 두툼한 시가를 한 대 피워 물어도 좋겠다. 동네 사람들과 시시껄렁한 농담을 나눠 피우며 엉덩이를 실룩대는 이성에 휘파람이라도 마음껏 불어 젖히면 좋겠다. 느릿한 시간을 몸 구석구석에 새기면서 그렇게 사는 것도 나쁘지 않겠다.

이를테면 책방 점원이 되면 좋겠다. 동료들과 수다 떨며 간혹 문을 밀고 들어오는, 하얗고 빼빼 마른 청년들이 집어 드는 책을 흘깃거리는 것도 좋다. '어떤 책이 좋은가요?'라고 묻는다면 기쁜 마음으로 어제 네가 읽은 책을 집어 주자. 돈을 내미는 손님을 앞에 두고, 옆 동료와 하던 농담을 마저 끝낼 수도 있겠다. 손님은 네가 농담을 끝낼 때까지 기다릴 것이다. 가끔 기분이 내킬 때, 마음에 드는 손님이 있을 때, 작은 포장지를 꺼내 정성 들여 책을 싸 주는 것도 좋겠다. 제법 두꺼운 책이고, 사진이 많이 들어 있지만 '책값은 200원입니다. 손님'이라고 무심한 듯, 가볍게 대꾸해 주면 좋겠다.

미술관 직원이 되면 좋겠다. 100년 묵은 그림들 틈에서 관람객을 힐끗거리는 것도 좋다. 사진기를 들고 있는 사람에게 다가가 '선생님, 여기에서 사진을 찍으면 안 됩니다'라고 최대한 점잖게 말하자. 문 닫을 시간이 되면 '이제 나가 주세요. 내일 또 방문해 주세요'라고 네게 주어진 작은 권력을 최대한 품격 있게 드러내자. 그림에 관심이 많은 사람들에게, 파리의 어느 뒷골목에서 쓸쓸하게 죽어 간 쿠바 화가의 생에 대해 이야기하는 것도 좋겠다. 일하는 척하며 마음에 드는 그림 앞에 온종일 서성일 수도 있다. 퇴근 후 기념품 가게에서 일하는 가브리엘라와 소극장에서 일하는 피델을 불러 모아 집에서 조촐한 파티라도 벌일 수 있으면 좋겠다.
좋은 식당이 많은 골목의 주차 관리인이 되면 좋겠다. 삐딱하게 모자를 눌러 쓰고, 관광객들과 잡담을 나누면 좋겠다. 작은 종이 뭉치를 들고 영수증을 발행해 주며 사람들에게 맛있는 음식을 추천해 주고, 운치 있는 거리를 안내해 줄 수도 있다.
아바나 국제공항의 기념품 가게 점원이 되어도 좋겠다. 쿠바를 떠난 가족이 극적으로 상봉하며 눈물을 흘리는 광경을 보게 되겠지. 눈물을 흘리며 누나, 오빠, 언니, 형의 이름을 부르고 볼과 입술을 부벼 대는 가족들 앞에서 울먹이는 미소를 지을 수 있으면 좋겠다. 날마다 이별이 있고, 날마다 재회가 있는 반反자본주의 국가, 지구의 국경. 하늘에도 경계선이 있을까. 이 작은 플랫폼은 세계 어느 공항에서도 볼 수 없는 독특한 분위기를 풍긴다. 쓸쓸하고 눈물 나는 따뜻한 풍경들을. 가난해도 품격 있게 살기 위해, 그 삶을 유지하기 위해 보이지 않는 전쟁을 날마다 수행하는 이곳 쿠바, 여기에서도 사람은 울고 웃으며 살아간다.

게으름의 욕망을 억제하고 살아오느라 지쳤다. 날마다 너는 주변 풍경을 놓치며 산다. 남의 이야기를 탐닉하며 사는 너에게는 정작 네 이야기가 없다. 네 이웃의 삶을 보지 못하고, 네 가족의 삶을 보지 못한다. 조금만 게으르게 살 수는 없을까? 비효율적이어도 좋겠다. 사회주의자라고 낙인찍어도 좋겠다. 우린 청결하고 쾌적하고 풍족한 삶을 위해 게으름에 대한 욕망을 스스로 거세했다. 네 DNA에 새겨져 있는 그 게으름의 권리는 어디로 갔는가. 게으르고자 하는 욕망이 죄가 아닌 사회를 꿈꾸면 안 되는가. 앞으로 날마다 명령하자. '명령하지 마!'라고. 상상을 해 보자는 거다. 상상만 해 보자는 거다.

다시 돌아온 또 다른 외계

epilogue

애초 이 여행에서 네가 유념했던 질문은 '다른 삶에 대한 사유가 가능할까' 하는 것이었다. 간혹 '지구의 국경'이라는 표현을 사용한 것도 그 때문이었다. 쿠바처럼 살자는 것이 아니라 우리처럼 사는 게 어떤 것인지, 쿠바를 통해 보려고 했다. 당연하다고 생각되는 것이 당연한 것이 아닐 수 있다는 깨달음의 가능성을 보고자 했다.

지구 반대편의 세상에 대해 우리는 아는 것이 없다. 언어의 한계 때문이기도 하다. 그러나 일부러 다른 삶을 폄훼하고, 이해하기를 거부하는 사람들이 있다. 그들에게 쿠바의 삶은 인간의 삶이 아니어야 한다. 그래야 지금 너의 삶을 인정할 수 있고, 그것이 인류 역사의 첨단이라고 자위할 수 있으니까.

낯선 반투명의 습자지를 대고 서울에서의 삶, 우리가 몸담은 자본 중심의 삶을 더듬더듬 그려 나가 보는 것이 이 글의 목표였다. 그리고 이 여행의 목표였다. 그래서 발터 벤야민의《아케이드 프로젝트》를 생각했다. 산책자의 시각으로 그들의 공간과 시간과 그들이 살았던 삶을 더듬어 보고자 했다. '자본주의를 떠나 살라', '쿠바가 그렇게 좋더냐'는 반응은 사양한다. 지금 우리가 몸담고 있는 체제와 시스템을 낯설게 봐 주길 바라는 마음이다. 지금 여기의 낯섦에 대한 깨달음 없이, 우리는 한 발자국도 앞으로 나갈 수 없다. 날마다 마주하는 식탁의 풍경, 날마다 마주하는 시장의 풍경, 그리고 국가 시스템의 민낯에 대해 단 한 번도 의심하지 않겠다고 한다면, 그냥 의심하지 말라. 그리고 시스템이 주는 편안함에 의지하자. 시스템이 당신을 좌절시키더라도 '알겠습니다' 하고 고개를 숙이자. 당신의 모든 불운은 세상이 완벽으로 나아가기 위한 어쩔 수 없는 희생이라는 것을 숙명처럼 받아들이길 권한다.

학교에서, 직장에서, 사회에서 우린 항상 좌절한다. 신문은 정의롭지 않은 일들을 날마다 기록한다. 그래서 신문 보기가 두렵다. 세상은 왜 부조화한가. 세상은 왜 부조리한가. 가정에서, 학교에서, 직장에서 네가 옳다고 믿는 것은 왜 항상 배신당하는가. 네가 옳지 않다고 여기는 일들은 왜 그렇게 빈번하게 발생하는가. 심지어 옳지 않다고 여기는 일들은 왜 많은 사람들의 지지를 받는가.

우리가 합의했다고 믿고 있는 규율과 규칙, 그리고 계약들, 뭐라고 부르든 사회를 지탱하는 그 시스템이 사실 허상이기 때문은 아닐까. 법은 자연 속에서 존재해 왔던 것이 아니다. 인간이 만든 것이다. 태초에 무질서가 있었고, 인간은 많은 희생을 통해 질서를 만들어 왔다. 질서의 역사가 인간의 역사다. 질서를 만드는 인간에 의해서, 권력을 가진 인간에 의해서 질서는 짜여 왔다. 어느 순간 그 질서에 매몰된 것도 인간이다. 주어진 시스템을 그 자체로 믿는 것은 그래서 위험하다. 권력을 가진 이들은 자기장과 중력을 이용해 규칙 자체를 변형시키고 왜곡한다. 그래서 자신에게 유리한 방향으로 끌어당길 수 있다. 그들은 시스템을 악용하는 방법을 안다. 그런 사람들은 어디에나 있다. 우리가 알지 못할 뿐.

너는 시스템의 보호를 받고 있다고 생각하지만, 시스템은 사실 거대한 하나의 '투쟁의 장'일 뿐이다. 투견판이고, 투계판이고, 투우판이다. 그러나 절망하지 말라. 시스템이 열려 있음을 인지한 순간, 너는 그것을 만지고, 다듬고 뛰어넘을 수 있다. 그들에게 칼이라면, 너에게도 칼이다.

우리가 여행을 통해 얻을 수 있는 최고의 즐거움은, 지금 여기, 네가 딛고 서 있는 세상의 실체를 깨닫는 것에서 온다. 먼 길을 떠난다는 것은, 결국 돌아오기 위해서가 아니던가. 이 책의 첫머리에서 했던 이야기를 다시 끄집어 온다.

“흔한 실수 중 하나는 외계外界가 존재하지
않는다는 믿음이다. 지금, 여기의 세상이 단일한
체계로 이뤄져 있으며, 그 체계는 단단하다는
착각. 인류 역사의 정점에 우리가 서 있으며, 어떤
것도, 네가 알고 있는 이야기의 결말을 훼손할
수 없다는 생각. 우리는 여행자에 불과하다는
착각. 풍경이 존재한다는 환상. 이런 것들은 우리
고통을 멎게 해 준다. 혹시 있을지 모를 외계를
상상하느라 고통받지 말라는 것이다. 선택하라.
‘지금 여기’의 모르핀을 받아들일 것인가?

서울, 도쿄, 뉴욕, 런던, 파리.
네가 알고 있는 그곳에 가는 대신 아바나로
향한다. 마트에 식재료가 넘쳐 나고, 밤거리의
불빛에 잠 못 이루는 서울을 떠난다. 먹고, 마시고,
자고, 싸고, 몸을 덥히는 데 인생의 대부분을
소비하는 이곳과는 조금 다른 곳이 있다는 환상을
안고 간다.”

이 글은 매우 주관적으로 작성됐다. 그렇다고 하더라도 거짓을 기록하지는 않았다. 쿠바를 독자들에게 소개하는 역할도 있지만, 여행 작가로서 이 글을 쓰며 몇 가지 고민을 더 얹어 본다.

너는 이 지구의 국경을 거니는 동안 쿠바를 향유했는가.
그들을 풍경으로 취급했는가?
혹은 너는 건방지지 않았던가.
너는 그들을 이해하려고 했는가.
그리고 하나 더,
그 '외계'는 너에게 어떤 의미를 갖는가.

결말은 열려 있다. 네가 본 것이 전부는 아니다.
주관적인 인상 비평을 뒤집어 줄 수 있는 많은
쿠바 여행자들이 생기길 기대한다.

너는 쿠바에 갔다

초판 1쇄 발행 2016년 10월 6일

글·사진 박세열

펴낸이 김경미
편집 김유민
디자인 나투다
종이 영은페이퍼(주)
인쇄&제본 ㈜상지사P&B

펴낸곳 숨쉬는책공장
등록번호 제2014-000031호
주소 서울시 마포구 잔다리로 61 402호 (04034)
전화 070-8833-3170
팩스 02-3144-3109
전자우편 sumbook2014@gmail.com
페이스북 /soombook2014
트위터 @soombook

값 16,000원 ISBN 979-11-86452-15-8 03300

잘못된 책은 구입한 서점에서 바꿔 드립니다.

이 도서의 국립중앙도서관 출판시도서목록(CIP)은
서지정보유통지원시스템 홈페이지(http://seoji.nl.go.kr)와
국가자료공동목록시스템(http://www.nl.go.kr/kolisnet)에서
이용하실 수 있습니다.(CIP제어번호: CIP2016022228)